尚古の思想

●反時代的省察

An Essay on Classicism: Unfashionable Reflections

近藤 剛
Go Kondo

ナカニシヤ出版

語り継がれる資格は、引き受けた義務を尽くし終えてから与えられるものなのかもしれない。しかし、その資格があったとしても、誰も語り継ぐことがなければ、精神の形もまた消え去ってしまうのだろう。私たちにとってのテメレールは果たしてどうか。「戦艦」に乗船していた栄光は曳航される以前に放り出されてしまって、もはや海の藻屑と消えつつあるのではないか。

本書で扱われるのは尚古の思想である。尚古とは端的に、古を尊ぶという意味である。言い換えれば、稽古照今（古を稽えて今を照らす）という考え方である。筆者は尚古主義を antiquarianism ではなく classicism と捉えたい。それは古い時代の文物や制度を尊び、それらを今日の模範とする思考のことであるが、筆者の意図するところは単なる好古趣味ではないし、まして旧套墨守とは全然違う。と言うのも、それは物事の本質を保つために、時々の状況に合わせて変更したり修正したりする柔軟さを併せ持っているからである。したがって conservatism と呼んでも構わないのだが（日本では保守主義という言葉に手垢が付き過ぎている）、傾向として政治思想に寄り過ぎることは避けたく、本書では思想文化論的な展開を意図しているため、敢えて尚古主義を選び、しかも本来は古典主義を意味する classicism を重ねてみた次第である。英語 classic の語源[2]はラテン語の形容詞 classicus である。この classicus は名詞 classis から派生し、その意味は「艦隊」とされる。国家存亡の危機に際して「艦隊」を寄付できるような市民の「最上階級」のことも classis と呼ばれた。私財を投げ打って国を守る気概は「第一級」の「クラス」であり、それが「高尚な」「由緒ある」「権威ある」の意味を帯びたらしい。転じて、人生の危機において精神的な活力を与えてくれる作品のことを classic と呼ぶようになった。

（2）「古典」の語源については、今道友信（二〇〇四年）『ダンテ『神曲』講義　改訂普及版』みすず書房、五－六頁を参照。

「古典」となったclassicは、やがて「典型的な」「模範的な」という意味を伴うようになる。尚古の思想は、曳航される「戦艦」「艦隊」に敬意を払い――いずれはスクラップにされる運命なのかもしれないが――そこに乗っていた精神の形を顧みて、それを丁重に受け取って保存する試みである。もちろん「戦艦」も「艦隊」も隠喩であるが、敢えて記すことは蛇足である。

わたしたちは、いま生きているこの社会のしくみが確かなものなのかどうか疑い、近づく未来に漠たる不安をいだき、文化の沈滞と衰退を感じる。生命の焔のかすかに燃えるとき、夜の稀薄な時間にわたしたちをおそう感情は、これはもはやたんなる抑圧感といったものではない。観察と判断にもとづく熟慮のはての予感なのだ。事実がわたしたちを打ちひしぐ。眼前にみるのは、かつては堅固なもの、犯すべからざるものとみえたもろもろの事柄が、ほとんどすべて、あやふやなものになってしまった事態である。真実、人間性、理性、正義、どれもこれも。(3)

これはファシズム到来の前夜、今から九〇年近くも前に書かれたヨハン・ホイジンガの言葉であるが、現代を生きる筆者にも実感をもって受け入れられる。文化の沈滞と衰退は目に見えて明らかである。従来の価値観には激震が走っている。そのまま社会が倒壊しそうな勢いである。

最近の違和感について率直に述べてみたい。例えば、BLM運動である。先ず、筆者は人種差別主義の撤廃という趣旨に対して賛同している。法律的な未整備について直ちに改善されていくべきだと考えている。しか

(3) ヨハン・ホイジンガ著、堀越孝一訳(一九七一年)『朝の影のなかに』中央公論社、二七頁。

し、それが歪んだ社会正義と化して、文化破壊的なイデオロギー闘争の路線に向かっていくことには疑問を感じている。具体的に言えば、差別主義者と見なされた歴史的人物に対する報復である。アメリカではロバート・リー将軍を発端に、クリストファー・コロンブス、ジョージ・ワシントン大統領、トーマス・ジェファーソン大統領、ユリシーズ・グラント大統領、セオドア・ルーズベルト大統領の彫像が倒され、イギリスではセシル・ローズ、ロバート・ミリガン、エドワード・コルストン、ウィンストン・チャーチル、マハトマ・ガンジーにいたるまで撤去に落書きといった惨状だった。さらに、人種差別の象徴として白人キリスト像が槍玉に挙げられた。カンタベリー大主教ジャスティン・ウェルビーが、その総点検ならびに必要に応じた撤去を指示したと聞いて驚いてしまった（もはやヨーロッパ美術史は成立しないのではないか）。歴史には明暗があり、糾弾されるべき事柄も存在する。それは正当に記憶され、二度と繰り返されることがないようにしなければならない。負の遺産を克服するように不断に努めねばならない。歴史認識において、私たちは虚心坦懐であるべきと思う。しかしながら、欧米における一連の文化破壊行為によってタリバンの仏像破壊を批判できなくなるのではないかと恐れる。これらの動きは歴史をなかったことにする、ある意味で歴史を歪めてしまうことにならないだろうか――ジョージ・オーウェル『一九八四年』（一九四九年）に登場する真理省「ミニトルー」を思い出してしまう――[5]。筆者は世界が野蛮と化し、文化が死滅するのではないかと懸念する。

現代人の特徴は極端さにあると、筆者は考える。何か問題が生じると、それに対する意識の持ち方、表現の

（4）この点については、ヘレン・プラックローズ、ジェームズ・リンゼイ共著、山形浩生・森本正史共訳（二〇二二年）『「社会正義」はいつも正しい――人種、ジェンダー、アイデンティティにまつわる捏造のすべて――』早川書房を参照されたい。

（5）ジョージ・オーウェル著、高橋和久訳（二〇〇九年）『一九八四年［新訳版］』早川書房を参照のこと。

在り方が両極端に引き裂かれてしまうのである。分断が生じて、隔たりが広がっていく。誰も和合する気がなく、ただ両端の間を走り回るのに忙しくなる。始終垂れ流されてくる大量の情報によって、人々は追い立てられる。思想の対立が深まると、人々は憎悪に駆り立てられる。認識された問題は解決されることなく、余計に複雑化される。誰も「ゴルディアスの結び目」を断ち切ることはできない。筆者は、このような傾向を思想の極端主義（extremism）と呼びたい。極端主義は熱狂主義（enthusiasm）をもたらし、時代を掻き回し乱す。ただでさえIT革命とBT革命に翻弄される現代人のこと、このままでは混迷していくばかりではないか。両極端に走らないで、その平衡を取り戻すよう努めたい。そのために必要なのは歴史感覚である。理想と現実の相剋にあって、平衡を保つ知恵は歴史に由来する。歴史感覚は危機に対する予見的な嗅覚を研ぎ澄ますことにも資するだろう。エドマンド・バークは次のように述べている。

生活についての古い意見と規則がうしなわれるときは、計り知れない大きな損失になるでしょう。その瞬間からわたしたちは自分を統治する羅針盤をなくした状態になり、どの港に向かっているのかもはっきりしなくなってしまいます。(6)

本書では、尚古より開いて「羅針盤」を取り戻す。それはもはや遺物と見なされるかもしれないが、携帯する理由があることを説明する。そして、ナショナリストでもグローバリストでもなく、パトリオットであるこ

(6) エドマンド・バーク著、二木麻里訳（二〇二〇年）『フランス革命についての省察』光文社古典新訳文庫、一七〇頁。

とを展望したい。歴史と伝統を重んじ、健全な国民意識を持つことが必要である。同時に、積極的な国際感覚を身に付けることも重要である。両方のバランスの取れた人間像を模索する時、それは尚古の思想を語ることにつながる。しかし、それは今のご時世では思想の残骸として退けられるかもしれない。したがって、現代という時代の在り方に対する批判的な意味を込めて、本書の性格は反時代的省察（unfashionable reflections）とならざるを得ない。

本書は既刊論文、講義資料、講演資料が基になっており、オムニバス形式を取っている。それぞれ主題ごとに議論しているが、随所に伏線を張っているので、それを追跡してもらうと全体として尚古の思想が浮かび上がるはずである。

尚古の思想——反時代的省察——

An Essay on Classicism: Unfashionable Reflections

目次

目次

尚古の思想——反時代的省察——

An Essay on Classicism: Unfashionable Reflections

1　コロナの狂騒

パンデミックの襲来

人類の歴史は感染症との闘いであると言われることがあるが、今日、私たち自身がその渦中（禍中）にある。二〇二〇年一月九日、武漢における新型コロナウイルス感染症（COVID-19）の発生事例が公式に発表されて以来、世界は瞬く間にパンデミックに直面することになった。実際は、その前年末頃より確認されていたし、一部では警告が発せられていたにもかかわらず、大手のメディアは十分な取り扱いをせず、私たちの国も含めて世界は深刻に受け止めることなく、特段の施策も講じず、ウイルスの拡散を放置し続け、ただ傍観し続け、挙句の果てにこのような事態を迎えてしまったことは誠に遺憾なことであった。パンデミック（Pandemic）という言葉はギリシャ語 *πᾶν* と *δῆμος* から成る造語であるが、それは「全ての民」の謂いであり、この災禍からは誰一人として逃れられないことを物語っている。このことはまた、全ての民が当事者意識を持って、真摯かつ機敏に対処しなければならないことも意味している。

各国の政府は感染予防対策と経済活動維持の、いわゆるブレーキとアクセルの二律背反の中で混迷し続けた。私たちの国においては、未だに決定的な解決策を見出せないまま迷走している。これまでの経緯を振り返ると、度重なるロックダウンは（様々な意味において）確実に国家運営の基礎体力を奪っていったことが分かる。また、初期においては感染対策そのものの難しさも見られた。感染者が重篤化し死亡している現実があっても、それは病院というある意味で閉鎖された空間で起こっているために、戦争や大地震といった可視的な惨状に比べると見え難く、緊迫する恐怖感にインパクトが足りなかったのかもしれない。緊急事態が宣言されてみたところで、ほとんど切迫感が伝わらず、速やかに行動変容へ結び付かない事態となっていたことにも、それなりの理由があったのではないかと思われる。

これまでは科学者論理、つまりデータやエビデンスが絶対視され、数学的、設計主義的な合理主義によって安心と安全と安定が約束されてきたはずであったが、この度のコロナショックによって脆くも崩れ去ってしまった感がある。むしろ、一時的なデータや部分的なエビデンスに振り回されて、全体を俯瞰する視座が不明となり、その時々の専門家の情報や情緒的な「世論」の前に右往左往して、ひたすら浮き足立つだけで、全ての政策が無責任かつ場当たり的に決められ、ついには方向性そのものが見失われてしまっていた。付け加えれば、政治的な指導力の欠如も無残なほど浮き彫りにされてしまったので、日々、不信感が募るばかりであった（残念ながら未だにそうであるが）。縦割りに整備された社会制度は危機的状況においては無力であり、堅固なシステムであるがゆえに壊れやすいというパラドックスも露呈した。歴史とともに輿に乗せて運ばれてきた知恵つまり「輿論」の中にある〈常識〉に裏付けられた判断力さえ失ってしまった流浪の民は、垂れ流される〈情報〉に飛びつくしかないが、このことが別の問題を生んでしまっている。例えば、自粛行動ひとつを取っても、リアルとフェイクに掻き乱された情報洪水の中で極端から極端へ、すなわち自粛警察と自粛反対といった配慮の過剰と不足の対極的な現象に結果する始末である。このような愚行が続く限り、ますます混乱は加速するし、事態は悪化する一途なのだが、何かにつけて〈分断〉は現代社会の宿痾なのかもしれない。

『ライフシフト――一〇〇年時代の人生戦略――』で著名なリンダ・グラットンは、コロナ禍において求められる重要な四要素として、様々な説明に伴う「透明性」(transparency)、協力的な未来構築のための「共同創造」(co-creation)、ロックダウンや自粛生活を耐える「忍耐力」(endurance)、心身の健全性を保つ「平静さ」(composure)を挙げており、筆者もこれらの必要性について基本的には同意するが、より根本的な視点が欠けているように思う。すなわち、必要なのはデータやエビデンスを大胆に解釈する力、先を見通して大局を洞察する力、行動変容の際のバランス(平衡感覚)を取る力であり、それらの回復を求める時、立ち返るべきは歴史に棹差し「知性の修練」(ジョン・ヘンリー・ニューマン)を経て編まれた常識、つまり「良識」(bon sens)であり、それを担ってきたのが〈人文知〉なのであってみれば、その効用こそ改めて問われなければならない。歴史という人間の経験則に基づきながら、理知的な洞察力をもって、想像力を豊かにして今後の動向を予見し、事柄の本質に迫ろうとする強靱な思索力こそ〈人文知〉の精華であり、今まさにその役割が期待され、その能力が発揮される時ではないかと思われる。

本章では、感染症の歴史を照覧しつつ、現時点でのコロナ禍がもたらした時代状況を把握することから始め、次にアルベール・カミュの『ペスト』を手がかりにその精神状況を解明し、さらにコロナショック後の世界の趨勢および社会構造の変動について考察し、若干の展望をもたらしたい。

人類の歴史と感染症

人類の歴史と感染症というテーマでは、しばしばペストの事例が取り上げられる。史料的には六世紀の東ローマ帝国での流行、一一世紀のインドからペルシャにかけての世界的流行、さらに一四世紀のヨーロッパ全土に及ぶ爆発的感染、一七世紀のロンドンでの流行など、枚挙に暇がない。二〇世紀ではスペイン風邪のパンデミックが最もよく知られているが、それに引き続く世界的流行の惨禍として、二一世紀初頭の新型コロナウイルスも歴史に刻まれることになるだろう。

感染症の流行期には従来の制度が大きな打撃を受けて、収束後には政治、経済、宗教を巻き込んだ大きな社会的変革がもたらされてきた。ルネサンスに象徴されるように、文化的には新たな潮流が形成されてきたことも見逃せない。ここでジョン・ケリーの見解を参照しておこう。

ペストは恐ろしい苦しみをもたらしたが、その一方で、生きるか死ぬかの可能性が曖昧だった不安定な将来からヨーロッパを救ったのもペストだった。黒死病が到来した一三四七年の秋、ヨーロッパはマルサス学説のいう行き詰まり状態にあった。二世紀にわたって人口の急増が続いた結果、人口に対して食糧生産量が追いつかなくなりそうだった。どこを見ても生活水準は下がり、悪化していた。貧困、飢餓、栄養不良が広まっていた。社会の流動性は失われ、技術革新の流れもよどみ、新しい発想や奇抜な考え方は危険な異端思想として抑圧された。黒死病の大量死とその後のさまざまな病気の襲来によって、その麻痺状態が終わりを告げ、ヨーロッパはふたたび勢いを取り戻した。人口が激減したため、生き延びた人びとには十分な資源の分け前ができた。そして、たいていの場合、その用い方も、より賢明になった。黒死病のあと、収穫量の少なかった農地は牧場となってより生産性を上げ、それまで穀物を挽くだけに使われていた風車や水車は、毛織物の縮絨や材木の切断など、より広範な用途をもつようになった。労働力の代わりに機械の力を利用しようと努めるなかで、発明の才も花開いた。(1)

(1)　ジョン・ケリー著、野中邦子訳（二〇二〇年）『黒死病　ペストの中世史』中公文庫、四七九-四八〇頁。

一四世紀のボッカッチョの『デカメロン』（一三四八–五三年）は、猛威を振るうペストを逃れてフィレンツェ郊外に避難した男女一〇名の貴族が悲喜交々、各自の逸話を紹介する物語の集成であるが、当時の状況を克明に書き残した記録としても読むことができる。例えば、次のような生々しい描写がある。

> 一日に数千人もが発病しました。誰も介抱してくれず、なんの助けもありません。救いの道は閉ざされたも同然です。みんな死にました。昼も夜もです。通りで亡くなった人も相当おりました。もちろん屋内で息絶えた人はもっと多かったのです。腐敗した死体の悪臭でやっと死んだということが隣人にもわかりました。いたるところこうした死人やああした死人で町中が満ちました。そんな死人はたいがい隣人からどこでも同じようなあしらいを受けました。それはなぜかというと、死者に対する同情や憐憫の情からではなく、死体が腐って害をなすのではないかという怖れからです。隣人は自分で手を下す人もいましたが、運び屋に頼めれば頼んで、屋内から死んだ人の遺骸を引き摺りだして、それを戸口の前に置きました。もしそのあたりを歩いたならば、とくに朝方は、数限りなく遺骸が戸口の前に放置されているのを見ることもできたでしょう。それから柩を取り寄せました。それが無い場合には板の上に遺体を置きました。また一つの柩に遺体を二体も三体も一緒に入れることもありました。[2]

こうした実情を念頭に置けば、memento mori の響きとともに、現世に対する無常観、あるいは現世の蔑視さらには忌避の感情が増大して、「煉獄」という他界観が生み出されたことも理解できる。また、時代は推移す

（2）ボッカッチョ著、平川祐弘訳（二〇一二年）『デカメロン』河出書房新社、二八頁。

るが、その都度のペストに見舞われた類似の経験を共有しているという点で、ミヒャエル・ヴォルゲムートの『死の舞踏』（一四九三年）やピーテル・ブリューゲルの『死の勝利』（一五六二年）の印象も、ボッカッチョの描写を下敷きにすることで、より強烈なものとしてリアルに受け止めることができる。厭世観の裏返しである来世観を発展させて、生きるか死ぬかの極限の問いを死生文化として具現化し、人間の実存的窮境に肉薄せんとした人文知の営為あるいは文化の挑戦をここに垣間見ることもできよう。

一七世紀のダニエル・デフォーの『ペストの記憶』（一七二二年）は当時の『死亡週報』などを渉猟してまとめられたものであり、歴史的記録としても一考に値すると思われるが、ペスト禍の顚末をめぐって書き留められた内容が興味深い。

　私はこの暗澹たる年の記録を終わるに際して、歴史的な事実をなおいくつか付け加えて終わりたいと考える。たとえば、この戦慄すべき惨禍からついに救われたことに対して、われわれがどれほど深い感謝をわれらの守護者なる神に捧げたことであったか。惨禍から救われ解放された時、われわれは今さらのごとくわれわれを苦しめてきた病魔の凄絶さを思い、全国民をあげてひとしく感謝の涙にむせんだのであった。……ただ神の直接のみ手のみが、ただ全能のみ力のみが、このことを可能ならしめたと、私は思う。(3)

一七世紀の時点でもなお、パンデミックと神の摂理が結び付けられており、近代化や世俗化との折り合いは一体どうなっていたのか熟考に値する。つまり、感染症と宗教というテーマが設定されるわけだが、このこと(4)

（3）　ダニエル・デフォー著、平井正穂訳（一九七三年）『ペスト』中公文庫、四三八頁。

については別の機会に譲ることにして、本章では深追いしないでおく。

コロナ時代とは何か

感染症の出現は人類の歴史に否応なく変化を与えるが、現下の私たちはどのような変質を余儀なくされるのだろうか。ウィズコロナ、アフターコロナ、ポストコロナ、ニューノーマル、ソーシャルディスタンス、新しい生活様式といった類似のスローガンが、もはや耳障りと言ってよいほどに日夜メディアから垂れ流されて、今や定着した感があるが、要するに不要不急を避けよ、密集・密閉・密接の三密を避けよという行動の制約を求められているということだろう。しかし、これは一体どういうことなのか。はっきり言って、人間の営みは、その大半が不要不急なのではないか。人類の文化現象そのものが、不要不急の極みに他ならないのではないか(したがって、不要不急を避けよと厳命されたら、諸々の文化事業から廃れ始めたのは当然のことである)。しかし、衣食住に限定した生物的な維持と繁殖だけで、果たして人間的生と呼べるのだろうか。また、三密という親密な行動様式こそ人間の集団を作り、人間の関係を深め、人間の社会を築いてきたのではなかったのか。このままでは、私たちはお互いに疎遠となり、やがては疎外されることになる。オンラインでは伝えきれない

(4) 二〇二〇年の初頭においては、宗教の迷走が目立ったように感じられる。例えば、二月二〇日には、新天地イエス教証しの幕屋聖殿のメガクラスターが発生した。三月一〇日にはローマ教皇フランシスコが、聖職者に対して新型コロナウイルスによって病気になった人々に「会いに行く勇気」を持つように、映像を通じて呼びかけた。当時のカトリック系日刊紙『アベニーレ』によると、新型コロナウイルスの感染で致死に至ったケースでは、聖職者の死者数が医師よりも多いと報道された(三月二三日)。二月一八日にはバングラデシュで新型コロナウイルスからの解放を祈るイスラームの礼拝(参加者は約二五〇〇〇人)が行われて、信仰者による不適切な行動ではないかと批判が殺到した。「宗教のウイルスは、私たちすべてを脅かす致命的なウイルスの拡散に一役買っている」(リチャード・ドーキンス)と手厳しく批判されても仕方のない状態であったことのみ記しておきたい。

五感を駆使して摑み取るリアルな感覚（臨場感）というものがあるはずで、これが失われてしまったら人間性そのものも変質していくのではないかと危惧される（過度なデジタル化による感性の摩滅）。

安心と安全と安定の金科玉条のもとに、適切な考慮も周到な省察も行われないまま、一方的な行動変容が（場合によっては罰則規定を伴って）強要されることには重大な疑義がある。次に引用するジョルジョ・アガンベンの指摘は肯綮に中っている。

より深刻なエピデミックは過去にもあったが、だからといって今回のような、私たちの移動まで阻止する緊急事態を宣言しようと考えた者など誰もいなかった。人間たちは、永続する危機状況、永続する緊急事態において生きることにこれほどにも慣れてしまった。自分の生が純然たる生物学的なありかたへと縮減され、社会的・政治的な次元のみならず、人間的・情愛的な次元のすべてを失った、ということに彼らは気づいていないのではないかと思えるほどである。永続する緊急事態において生きる社会は、自由な社会ではありえない。私たちが生きる社会は、自由な社会ではありえない。私たちが生きているのは事実上、「セキュリティ上の理由」と言われているもののために自由を犠牲にした社会、それゆえ、永続する恐怖状態・セキュリティ不全状態において生きるよう自らを断罪した社会である。[5]

安全と安心と安定を得たいがゆえに、より硬直化したシステムへの編入を望む民の心性ないし特性、その背後にあるのはインフォデミック（information ＋ epidemic）やコロナフォビア（corona ＋ phobia）という言葉

（5）ジョルジョ・アガンベン著、高桑和巳訳（二〇二〇年）「説明」『現代思想5　緊急特集　感染／パンデミック――新型コロナウイルスから考える――』青土社、二〇-二一頁。

で示されるような底知れぬ不安心理ではあるまいか。冒頭でも言及したように、健全な輿論を形成してきた〈常識〉が悉く欠落し、その代替としてインターネット上の〈情報〉を頼りにしたものの、真偽定かならぬ伝聞の圧倒的な量に翻弄されるだけで、調べれば調べるほど、知れば知るほど、迷妄状態に陥るという愚を重ねてしまった。こうなると人々のストレスは増し、不安は募る一方であり、それは未知のウイルスに対する恐怖を生み、さらに感染自体への憎悪に転じ、やがて感染者や医療従事者に対する差別を煽るという負のスパイラルとなった。過剰な防衛意識は自粛警察を生み出し、その正義中毒はコロナ差別を助長し、社会をより居心地の悪いものにしていく。このご時世、どこを見ても猜疑心の塊ばかりではないか。他方で、正常性バイアスからの反自粛行動も目立ち、敢えてマスクを着けずに、敢えて密なる状態を愉しむことを是とする動きも見られた。スティーブン・ピンカーが認知バイアス（社会的認知の偏り）こそ感染症予防の失敗を招くと主張したことは、これらの事態からも十分に例証されると思う。

〈コロナ時代〉とは、不要不急と三密を避けることが定着し、人間らしさを失っていく時代を意味しており、安心と安全と安定のために人間的自由を手放し、管理と監視と統制のシステムに嬉々として入っていく、いわゆるディストピア一歩手前の危機的状況を指しており、それは情報過多と不安心理に苛まれた〈大衆〉の精神の錯綜の上に成り立っている――このように規定しては、いささか過言だろうか。いずれにせよ、コロナ時代は幕を開けたのであり、しばらくは私たちもこの中を生き延びていかなければならない。人間らしく生きていくためには、このコロナ時代の精神状況についてより考察を深める必要があり、次に私たちは分析医として最適の一人であると思われるカミュを手がかりにしていきたい。

カミュの処方箋

二〇二〇年のコロナ禍において注目されたのが、カミュの『ペスト』（一九四七年）であった。アルジェリアのオラン市を舞台に、ペストの蔓延により隔離された都市の有り様、外部から遮断された人々の暮らしなどが物語られているが、殊に心理描写が卓越しており、現在の私たちの論点を先取りしていると言える。本章ではカミュの専門研究を意図しておらず、また筆者自身にその力量はないので、コロナ時代の精神状況を診断するという目的で、カミュの心理描写を参照することに留めたい。

先ず、感染症対策によって自粛を強いられた私たちが一気に襲われた感覚について、カミュが「追放」と表現したものが適応すると思われる。

ペストが私たちオラン市民にもたらした最初の事態は、追放だった。……そう、その追放の感覚とは、私たちがつねに自分のなかに宿していたあの空虚さにほかならず、まさにあの感情、過去に戻りたいとか、逆に、時間の歩みを速めたいとか望む常軌を逸した欲望であり、焼けつくように突き刺さるあの記憶の矢なのであった。[6]

つまり、これまで平然と生きてきた日常生活から追放されてしまったということである。非日常下に置かれると、以前の何事もなかった日々の回顧に明け暮れたり（過去への逃走）、この苦境が一日でも早く過ぎ去ってほしいと平穏な明日を夢想したりするが（未来への逃避）、私たちの現在はそう簡単には動かず、放り出された

（6）アルベール・カミュ著、中条省平訳（二〇二一年）『ペスト』光文社古典新訳文庫、一〇四頁。

私たちに戻る場所はない。無理に日常化を演出しようものなら、感染の予防はできなくなってしまい、それだけ日常の回復は遅れて、ますます元へ戻れなくなる。

しかし、そうと分かっていても正常性バイアスは強く働くものであり、非日常にあっても自分だけは普通に動き回ることができると過信し錯覚する。自分の予定したことは果たされねばならず、自分の習慣にしていることは変えられない。思い通りにならなければ苛立ち、憤り、次から次へと不平不満が噴き出してくる。やり場のない怒りの矛先は政策へ、さらには政府へ向かう。直接に届かないことが分かっているからこそ、矢継ぎ早に鬱憤を喚き散らすことができる。以下にカミュの描写を引くが、見事に現状に一致している。

この尋常ではない光景を目にしても、市民たちは自分たちの身に起こった事柄を理解していないようだった。別離や恐怖という共通の感情はあったものの、相変わらず自分の個人的な関心事を第一に考えていたからだ。誰もまだ疫病を本当には受けとめていなかったのだ。大部分の者は、とりわけ自分の習慣を邪魔したり、利益を損なったりするものに敏感だった。そのせいで、じれたり苛立ったりはしたが、そうした感情はペストにぶつけられるものではなかった。それで彼らの最初の反応は、たとえば、行政当局の不手際を非難することだった。(7)

世間に疑心暗鬼が生じる中で、個人には孤立感が増し加わる。現在はオンラインで容易に他者へアクセスすることができるが、上辺だけのコミュニケーションはかえって自己を疎外する。つまり、内側に閉ざされたこ

(7)　前掲書、一一〇-一一一頁。

とによって自分自身と向き合わざるを得なくなり、自己が余計なほどに剝き出しにされてしまったのである（引きこもることによって他者との繋がりがこれまで以上に感じられるようになったというおとぎ話のような評価もあり得るが、筆者はそれに与しない）。剝き出しにされた自己の苦悩、内面から湧き出る固有の問いに答えられる他者は容易に見当たらない。誰に何を話しても、どのような助言を得ても決して納得することはできず、むしろ孤絶に引き戻されてしまう。筆者も、この感覚をたびたび味わったことがある。解消することが困難な精神の桎梏というものがあり、そこから解き放たれようと自己を開いて他者との交わりに赴くものの、求める答えは一向に見つからず、気付かされるのは相手との距離感であり意識差であり、さらには違和感である。このことについても、カミュは巧みな表現をもって言い当てている。少し長くなるが、引用する。

要するに、こうした孤独の極限にあっては、誰も隣人の助けを期待することはできず、それぞれが孤独に自分の不安のたねを抱えているほかなかった。たまたま私たちのうちの誰かが打ち明け話をしたり、自分の感情について語ったりしても、相手からかえってくる答えは、それがどんな返事であろうと、たいていはその人の心を傷つけるものだった。その事実によって、自分と相手がまったく違うことを話していたことに気づくのである。そう、自分のほうは、長い反芻と苦悩の日々の奥底から自分の考えを差しだしたのであり、自分が話し相手に伝えたいと思う情景は、期待と情熱の火で長い時間かけて煮つめたものだ。だが、反対に、相手のほうは、ありきたりな感情、市場でたたき売りされる苦しみ、どれもこれも似たり寄ったりの憂鬱を思いえがいているにすぎない。好意を見せようが敵意を見せようが、相手の返事はいつでも的外れで、諦めるよりほかに仕方がない。あるいは、黙っているのが耐えられない人の場合は、他人が真情にみちた言葉で答えることなどありえないのだから、自分も観念して商売用の言葉を使い、せいぜい、ただの知人と交わす月並みな口調か、新聞の三面記事かコラムのような調子でおしゃべりをするしかない。ここでもまた、真実にほかならぬ苦悩が、くだらない会話の決まり文句に変えられてしまうことが習慣になっていた。(8)

コミュニケーション・ツールは進化し多様化し、コンビニエントに利用できるようになったが、このコロナ禍においては、本来的な意味での意思疎通はより困難に、あるいはより貧困になっていくのが見えたような気がする。パオロ・ジョルダーノが「感染症とは、僕らのさまざまな関係を侵す病だ」(9)と述べているが、自粛という自己隔離（翻って自己照射）がこれまでのコミュニケーションの表層的な覆いを剝ぎ取ってその本質を顕わにし、元から寸断されていた関係性を示して見せたに過ぎないとも言えるのではないか。これからどのような修復が可能なのか、道のりは険しいが、一般的に人というものは関わり（対話）の中でしか癒されることはないので模索し続けるしかない。特に、信頼を失った〈言葉〉の回復は急務となる。

マスク着用が半ば義務化され、いたるところアクリル板で仕切られた、この異様な風景にも慣れてきたし、日々伝えられる「本日のコロナ感染者数」にも驚きを感じなくなってきた。非日常がいつの間にか日常化し、コロナ時代というマジックワードの中では全てが単純化され、したがってもう熱心に考え込むこともやめ、ひたすら妥協して、直近に順応する（それが得策であろうと言わんばかりに）、そのような無気力な態度が溢れかえっているように見受けられる。ここに希望の灯はあるのだろうか。カミュの警鐘に耳を傾けたい。

（8）前掲書、一一〇-一一一頁。
（9）パオロ・ジョルダーノ著、飯田亮介訳（二〇二〇年）『コロナの時代の僕ら』早川書房、一三頁。

私たちのなかの誰ひとりとして、いまや大きな感情の起伏をもたなくなった。その代わり、みんなが単調さを感じていた。「そろそろ終わるだろう」と市民たちはいいあった。天災のなかで、集団的な苦痛の終わりを望むのは当然のことであり、じっさい、彼らはこれが終わることを望んでいたのだ。しかし、こうした言葉も、初めのころの熱っぽさや痛切な感情がこもっていたわけではなく、ただ、私たちにまだはっきりと残っている、しかし貧弱な理屈がそういわせたのだった。最初の数週間の激しい感情の昂ぶりに続いて、意気消沈の状態が生まれ、それを諦めと見るのは誤りかもしれないが、そうした状態は、天災をとりあえず仕方のないものとして認めることにほかならなかった。(10)

市民たちは足並みをそろえて、天災にいわば適応していった。というのも、それ以外にやり方がなかったからだ。当然のことながら、まだ不幸と苦しみに接する態度をとってはいたが、鋭い痛みはもう感じていなかった。しかし、たとえばリユー医師は、それこそがまさに不幸なのだと考えていた。絶望に慣れることは、絶望そのものより悪いのだ。(11)

突然に日常から追放され、関係から遮断され、いつ終わるとも知れない閉塞感に望みを絶たれ、しかしその絶望的な非日常にも順応してしまう人々の有り様を、カミュは鋭い筆致で描いているが、見事に私たちの精神状態を言い当てている。『ペスト』では、献身的な医療活動や「保健隊」というボランティアの動機付けをめぐって、しばしば議論となるのだが、カミュは現実味のない英雄主義による回収を好まない。この点について、

(10)　アルベール・カミュ著、前掲書、二六五頁。
(11)　前掲書、二六六頁。

医師リューと新聞記者ランベールとの間で交わされた対話を紹介しておきたい。

リュー　「だが、これだけはいわせてもらいたいんだが、今回の天災では、ヒロイズムは問題じゃないんだ。これは誠実さの問題なんだよ。こんな考えは笑われるかもしれないが、ペストと戦う唯一の方法は、誠実さなんだ」

ランベール「誠実さってどういうことです？」

リュー　「一般的にはどういうことか分からない。だが、私の場合は、自分の仕事を果たすことだと思っている[12]」

非日常を生き抜く術は平時と変わらぬ（その人に固有の、または不変の）「誠実さ」であり、その具体化は「自分の仕事」への精励であると述べられている。どのような状況であれ、自分のなすべき課題に真剣に向き合って、自分の仕事を淡々とこなすしかないのであり、その姿勢のみがコロナ禍の鬱屈に耐え、それを打破する唯一の方法なのだろう。カミュの指摘は平凡なものに見えるかもしれないが、シンプルな言葉こそ最も実現することが困難である。私たちは自分自身に対してどこまで誠実でいられるのか、自分自身の中で自己を曝け出して、徹底的に自問自答しなければならないだろう。そうしなければ、私たちは不条理とは戦えず、敗退が決定的となる。

（12）前掲書、二四三頁から抜粋。

コロナショック後の選択

以上、コロナ時代の特徴について述べてきたが、では今後、この成り行きをどのように見通せばよいのだろうか。コロナショックの前後で、グローバリズムは脱グローバリズムへ、国際協調主義は孤立主義へ、融和主義は排外主義へ、自由民主主義は独裁主義へ、サプライチェーンは国内生産回帰へ、それぞれ移行していくのだろうか。私たちはこれから、何を重視して、何を求めて、何を選択していくのだろうか。特にここでは、国際協調主義と自由民主主義の行方について考えてみたい。

パンデミック発生の当初から指摘されていたことは、この加速度的な感染拡大の原因は昨今の急速なグローバリゼーションによるということであり、その中におけるロジスティクスの脆弱さやＳＣＭ（サプライチェーンマネジメント）の失敗が何度も取り沙汰された。この論調に対して逸早く牽制を投げかけたのが、『サピエンス全史』で一世を風靡したユヴァル・ノア・ハラリであった。彼は次のように述べている。

多くの人が新型コロナウイルスの大流行をグローバル化のせいにし、この種の感染爆発が再び起こるのを防ぐためには、脱グローバル化するしかないと言う。壁を築き、移動を制限し、貿易を減らせ、と。だが、感染症を封じ込めるのに短期の隔離は不可欠だとはいえ、長期の孤立主義政策は経済の崩壊につながるだけで、真の感染症対策にはならない。むしろ、その正反対だ。感染症の大流行への本当の対抗手段は、分離ではなく協力なのだ。[13]

（13）　ユヴァル・ノア・ハラリ著、柴田裕之訳「人類はコロナウイルスといかに闘うべきか――今こそグローバルな信頼と団結を――」（原題：In the Battle Against Coronavirus, Humanity Lacks Leadership）二〇二〇年三月一五日付アメリカ TIME 誌〈http://bookpooh.com/archives/20710〉から引用（最終閲覧日二〇二三年一月一日）。インターネットの記事であるため頁数の指示はできない。

今日、人類が深刻な危機に直面しているのは、新型コロナウイルスのせいばかりではなく、人間どうしの信頼の欠如のせいでもある。感染症を打ち負かすためには、人々は科学の専門家を信頼し、国民は公的機関を信頼し、各国は互いを信頼する必要がある。[14]パンデミックを早期に収束へと導くために各国は争っている場合ではなく、積極的な情報開示や効果的なワクチンの共同開発に努めるべきである。ハラリは次のようにも述べている。

今や外国人嫌悪と孤立主義と不信が、ほとんどの国際システムの特徴となっている。信頼とグローバルな団結抜きでは、新型コロナウイルスの大流行は止められないし、将来、この種の大流行に繰り返し見舞われる可能性が高い。だが、あらゆる危機は好機でもある。目下の大流行が、グローバルな不和によってもたらされた深刻な危機に人類が気づく助けとなることを願いたい。[15]

ハラリが言うように協力と信頼による人類の連帯は理想であり、このコロナ禍を逆手にとって国際協調主義を実現することが強く求められる。これは誠に穏当な意見であり、基本的には尊重されるべき立場だと思うが、いささか優等生的に過ぎないだろうか。要するに、これは楽観的な見通しではないのか。コロナ禍の混乱に乗じて覇権を伸張する国があり、感染ルートの情報を隠蔽する国があり、コロナ後を主導する有利な手段として

(14)　前掲の通り。
(15)　前掲の通り。

ワクチンは捉えられ、もはや開発競争の様相を呈しており、製薬会社や研究機関とそれに繋がる政治家は利権を摑もうと躍起になり、しかもそれは富裕な国々によって独占され、貧困な国々は後回しにされるという無情な有り様である。コロナ禍においては、残念ながら国家主義の勃興がより明白となっている。高邁な理想とはかけ離れた世知辛い現実を見る時、ハラリの提言はどうしても楽観的に映ってしまう。

今回の危機の現段階では、決定的な戦いは人類そのものの中で起こる。もしこの感染症の大流行が人間の間の不和と不信を募らせるなら、それはこのウイルスにとって最大の勝利となるだろう。人間どうしが争えば、ウイルスは倍増する。対照的に、もしこの大流行からより緊密な国際協力が生じれば、それは新型コロナウイルスに対する勝利だけではなく、将来現れるあらゆる病原体に対しての勝利ともなることだろう。[16]

このようにハラリは述べているが、皮肉なことに前者の傾向が顕著となっている。世界は今後より内向的な姿勢に転じていくと考えて、先ずはそれぞれで自衛手段を検討していくことが現実的なのではないか。

感染症対策を講じる上で、密集と移動の制限は疫学的に不可欠であるが、それを強制と服従で行ってよいのかということについても議論がある。なぜならば、隔離政策は人権侵害と紙一重だからである。それだけに慎重な検討が求められるはずであるが、緊急事態下においては、なし崩し的に強要されるのが常である。この強要に対して速やかに従った方が収束を早められるという実績が示されると、全体主義的なデジタル監視社会、

（16）　前掲の通り。

デイヴィッド・ライアンの言う「パンデミック監視社会」への移行は現実味を増すに違いない。容易には抗えない衛生管理の名の下に「生政治」（ミシェル・フーコー）が一段と進んでいくことも予想される。コロナ禍において市場原理主義の限界と新自由主義経済（緊縮政策）の終焉が見えたと主張するスラヴォイ・ジジェクは次のように指摘する。

　隔離と生存を可能にするには、基本的な公共サービスが機能し続ける必要があり、電気、水道、食料、医薬品などが入手できなければならない。……これはユートピア的共産主義の姿ではなく、生き残ることだけの必要性に強いられた共産主義である。遺憾ながら、これは一九一八年にソビエト連邦で「戦時共産主義」と呼ばれたものの一種である。(17)

このようにジジェクは「戦時共産主義」からの「災害共産主義」の到来を「新しい共産主義」として肯定している。続けて彼は次のように述べている。

　マスクや検査キット、人工呼吸器といった緊急に必要なものの製造を調整したり、ホテルやリゾートを差し押さえたり、新たな失業者全員に最低の生活を保障したりなど、国家はもっと積極的役割を担うべきであるだけでなく、これらすべてを市場メカニズムから離れて行う必要がある。観光業に従事する人たちのように、少なくともしばらくは、職も目的も失われる数千万人のことを考えてもみよ。その人たちの運

(17)　スラヴォイ・ジジェク著、中林敦子訳（二〇二〇年）『パンデミック』Pヴァイン、七六-七七頁。

命を単なる市場メカニズムや、一回限りの景気刺激策にゆだねることはできない。明白なことが、あとふたつある。ひとつは、制度化された保健医療制度は、高齢者や弱者のケアを地域のコミュニティーに依存せざるを得なくなること。もうひとつは、天秤の反対側にあるのは、リソースの産出と共有のため、何らかの有効な国際協力を組織しなければならないことである。各国が単に孤立すれば、戦争が勃発してしまう。私が「共産主義」を言う時に言及しているのはこのような協力の進展であり、それ以外の選択肢は新しい野蛮以外にない[18]。

確かに、ジャック・アタリが言うような「命の経済」への回帰が切望され、common の再生も必要なことであるに違いない。また、このパンデミックが延々と続き、「人工的な昏睡状態」（ポール・クルーグマン）に喩えられるリセッションから目が覚めず、そのまま金融危機、世界恐慌、ブロック経済化へ突入するような事態になると、私たちは来た道を繰り返すことになるかもしれない。いわゆる「惨事便乗型資本主義」（ナオミ・クライン）からの「野蛮」を警戒しなければならないことも十分に理解できる。しかし、その回避の方法が「新しい共産主義」であることには容易に賛同できず、もしその方向が強く打ち出されるようなことになれば、やはり私たちはまた来た道を繰り返すことになるのではないかと悲観される。このような袋小路を突破する新しい哲学的発想、マルクス・ガブリエルの言葉を借りれば「精神のワクチン」、あるいは想像できないことを想像する「形而上学」（ジャン＝ピエール・デュピュイ）が求められるが、この最も重要な論点については稿を改めねばならない。

(18)　前掲書、八五-八六頁。

ウォルター・シャイデルは、歴史において伝染病の蔓延が人口増加を抑制させ、そのために労働者が激減し、結果的に労働価値が上昇して、平等化（不平等の減少）が進んだとする仮説を提唱している。そんな彼がコロナ禍以前に、次のような見解を示している。

現代において、真に破滅的な疫病が世界中で何億もの人命を奪うとすれば、少なくとも短期的には抑制できず、国境も社会経済学的領域も越えて犠牲者が出ることは避けられないだろう。その場合、複雑で相互に結びついた現代経済や、そうした経済の高度に分化した労働市場に破壊的影響が及び、労働供給や資本ストックの評価にかかわる平等化効果を上回るかもしれない。統合の度合いがずっと低かった農耕社会でさえ、伝染病は人びとを無差別に苦しめる短期的混乱の引き金となった。長期的には、分配にまつわる帰結は、労働を資本で置き換える新たな方法によって形作られるだろう。伝染病で疲弊した経済においては、やがてロボットが、失われた労働者の多くに取って代わるかもしれないということだ。[19]

果たしてAIや5GやIoTはコロナ時代を牽引していくのだろうか。私たちの世界が共産化されるにせよ、機械化されるにせよ、必然性の軛に繋がれた未来には人間的自由の余地はないだろう。コロナショック後、私たちは人間的自由の在り方をめぐって、重大な選択の前に立たされることになるように思う。さて、私たちは一体どう生きていくことになるのだろうか。

---

(19)　ウォルター・シャイデル著、鬼澤忍・塩原通緒共訳（二〇一九年）『暴力と不平等の人類史――戦争・革命・崩壊・疫病――』東洋経済新報社、五六〇頁。

人間的自由の価値

コロナ禍において、これまで万能と信じられてきたデータやエビデンスに基づく数学的、設計主義的な合理主義への不信は深く、私たちが依拠すべき指針のない時代への不安も増している。否が応でもパラダイムシフトに直面していく私たちは、瓦解した権威主義の残骸を踏み越えて、拠り頼むべき何かに辿り着くことはできるのだろうか。自由民主主義の価値を守り通すことはできるのだろうか。頼るものが何もない時代には、徹底した自己責任だけが求められるのだろうか。これからの選択は人類の（人間としての）命運を左右することになるだろう。まさに私たちは歴史の真っただ中を生き、世界的転換の分水嶺に立っている。

現状にあっては、好むと好まざるとにかかわらず、オンライン化とデジタル化は避けられない。ある意味では、来るべきものが早く来ただけのことなのかもしれない。多少の戸惑いもあるが、オンライン化とデジタル化には新しい文化変容をもたらす可能性があることも認めねばならないだろう（例えばｅスポーツやストリーミングあるいはメタバースなど）。

しかし、人間と機械、あるいはアナログ思考とデジタル思考は異なっている。つまり、必然性（目的合理性）に貫徹された機械とは違って、人間には無駄が許されるし、生は偶然性に開かれている。想像の翼は数理的な予測とは異なる創造の可能性を広げていく。例えば、ナビゲーションシステムは目的地まで迷わず確実に人や物を届けられるが、人間は道を間違ったり、回り道をしたり、寄り道をしたりして、心許ない。だが、そのことによって新しい発見に遭遇したり、新しい着想を獲得したりして、全く予測できなかったような劇的な人生行路へと導かれることもある。それこそが、人間的自由の価値に他ならない。

この価値を奪うのは新型コロナウイルスではなく、私たち自身である。そのことを弁えておくことが、先ずはコロナ時代を生き抜くための備えとなるだろう。どのような時代が訪れるのか誰にも分からないが、人間の本源は不変であり、人間的自由の価値は守り通すべきである。現実的に起こり得ることとして、共産化と機械化が手を携えて、デジタル監視社会が到来し、行動の自粛から精神の萎縮がもたらされることを憂慮する。精神の萎縮は〈人文知〉の絶滅を意味する。豊かな〈人文知〉は人間的自由とともにある。人間的自由が奪われたところに、人間の生きる世界はない――本章は二〇二一年一月頃に執筆されたものであり、現在の状況認識とは少し異なる議論も見受けられる。しかし、当時の筆者の危機感を敢えてそのままに留めている。基本的な問題意識にも変更はない。二〇二三年五月八日をもって新型コロナウイルスの感染症法上の位置付けは2類相当から季節性インフルエンザと同じ5類に引き下げられる方針であるが、これを〈コロナ時代〉の終焉と受け取るのは時期尚早だろう。根本的な問題は解決されておらず、むしろこれから負荷が過大になっていくことを懸念する。

【参考文献】


ダニエル・デフォー著、平井正穂訳（一九七三年）『ペスト』中公文庫。

立川昭二（二〇〇七年）『病気の社会史――文明に探る病因――』岩波現代文庫。

ヴィリジル・タナズ著、神田淳子・大西比佐代共訳（二〇一〇年）『カミュ』（ガリマール新評伝シリーズ）祥伝社。

ナオミ・クライン著、幾島幸子・村上由見子共訳（二〇一一年）『ショック・ドクトリン――惨事便乗型資本主義の正体を暴く――』（上・下）岩波書店。

ボッカッチョ著、平川祐弘訳（二〇一二年）『デカメロン』河出書房新社。

三野博司（二〇一六年）『カミュを読む――評伝と全作品――』大修館書店。

ウォルター・シャイデル著、鬼澤忍・塩原通緒共訳（二〇一九年）『暴力と不平等の人類史――戦争・革命・崩壊・疫病――』東洋経済新報社。

ファリード・ザカリア著、上原裕美子訳（二〇二〇年）『パンデミック後の世界　一〇の教訓』日本経済新聞出版。

ジャック・アタリ著、林昌弘・坪子理美共訳（二〇二〇年）『命の経済――パンデミック後、新しい世界が始まる――』プレジデント社。

ジャン＝ピエール・デュピュイ著、桑田光平・本田貴久共訳（二〇二〇年）『ありえないことが現実になるとき――賢明な破局論にむけて――』ちくま学芸文庫。

ジャレド・ダイアモンド、ポール・クルーグマン、リンダ・グラットン、マックス・テグマー、スティーブン・ピンカー、スコット・ギャロウェイ共著、大野和基編（二〇二〇年）『コロナ後の世界』文春新書。

ジョン・ケリー著、野中邦子訳（二〇二〇年）『黒死病　ペストの中世史』中公文庫。

ジョルジョ・アガンベン著、高桑和巳訳（二〇二〇年）「説明」『現代思想5　緊急特集　感染／パンデミック――新型コロナウイルスから考える――』青土社、二〇-二二頁所収。

小長谷正明（二〇二〇年）『世界史を変えたパンデミック』幻冬舎新書。

パオロ・ジョルダーノ著、飯田亮介訳（二〇二〇年）『コロナの時代の僕ら』早川書房。

スラヴォイ・ジジェク著、中林敦子訳（二〇二〇年）『パンデミック』Pヴァイン。

アルベール・カミュ著、中条省平訳（二〇二一年）『ペスト』光文社古典新訳文庫。

デイヴィッド・ライアン著、松本剛史訳（二〇二二年）『パンデミック監視社会』ちくま新書。

福嶋亮大（二〇二二年）『感染症としての文学と哲学』光文社新書。

2　大衆の紊乱

世情の騒然

いつからこうなってしまったのか分からないが、マスメディアから垂れ流される情報の洪水に溺没させられそうになる。品質も低く品位も乏しい言論が溢れ出している。一切を遮断してしまいたくなるが、社会の構成員として存在している限り、それもままならない。真偽の定かならぬ情報が大量に発信され、明らかな矛盾が両論併記と偽称され、多様性の尊重という名目で価値判断の基準が破壊され、混沌とした時空が広がっている。そこでは連日、暴露と炎上が繰り返され、過激と刺激が狂騒し、精神と思考が蝕まれていく。が、だからといって誰も逃れようとはせず、むしろ愛着ゆえに離れ難く、安易に付和雷同し、取り込まれるまま身を委ねている。

前章でも言及したように、コロナウイルスをめぐって、いわゆる専門家の意見は分裂し、見識のないコメンテーターらが好き勝手な憶測で不安を煽り続け、プロフェッショナルとアマチュアの線引きは消し去られ、信じるに足る見解は得られぬまま、無責任な発言が「世論」を誘導し、世間を瞞着し、それに引きずられた政策は紆余曲折し、パンデミックは感染症対策の問題というよりもインフォデミックの様相を呈した。フランスの社会心理学者ギュスターヴ・ル・ボンが「庶民のあいだに流布するようになった意見は、すべて結局社会の上層にも強制されるようになる[1]」と述べているが、正鵠を射ている。さらに深刻なことは言葉の機能不全であり、必ずしも緊急性を要しない状況に対して緊急事態と宣言してみたり、感染拡大した後なのに蔓延防止と言ってみたり、それぞれが判断すべき自粛が当局から要請されてみたり、言語感覚も一種の錯乱に陥りそうなものだが、何となくそれに順応してしまう現実にも恐ろしさを感じる。

平和の祭典と謳われるオリンピックにしても、高邁なオリンピック憲章の精神より各種の利権やスポンサー企業からの収益の算段が勝り、煌びやかな演出に隠された悲愴の実相は明らかにされることなく、魅力的な虚像の中に埋没してメダル数の獲得だけが話題とされた。安全圏からのキャンセル・カルチャーがトレンドになり旺盛に展開されたものだが、その担い手は攻撃の対象を選ぶ巧妙さを隠すことなく、自らの欺瞞に恥じ入ることはない（人権侵害に関わる過去の言動を精査する必要は認められるが、それ以上に現在進行形の弾圧の実態を糺すことが求められるのではないか）。寛容な社会の実現が説かれながら、ますますヒステリックな不寛容を増長し、世の中を息苦しくさせるのに役立っている。人権蹂躙の現実を直視しない絵空事の絶対平和主義の叫びは無意味というより卑劣ではないのか。あるいは私たちは〈オメラス〉[2]に留まったままでよいのか。

驚くべきことに（休戦を呼びかける習わしの）オリンピックが開催されている最中に、大規模な侵略が開始された（北京で開催された冬季のオリンピックとパラリンピックの合間である二〇二二年二月二四日、ロシアのウラジーミル・プーチン大統領がウクライナに対して開戦を宣言した）。大国の指導者から「戦争は平和である」というジョージ・オーウェル流のダブルスピーク[3]のような宣戦布告が聞かれた。無辜の民が無差別に殺

(1)　ギュスターヴ・ル・ボン著、櫻井成夫訳（一九九三年）『群衆心理』講談社学術文庫、一六五頁。
(2)　アーシュラ・K・ル・グィン著、小尾芙佐他訳（一九八〇年）「オメラスから歩み去る人々」『風の十二方位』ハヤカワ文庫を参照されたい。
(3)　この点については、拙著（二〇一五年）「ディストピアの誘惑」『問題意識の倫理』ナカニシヤ出版、六八‐七六頁で詳しく述べている。

戮されていても、核恫喝によって萎縮させられるや否や、誰も直接に助けることができない現実が開かれた。安全を保障するために締結されたはずの条約も簡単に反故にされ、国際機関において会議は踊るがされど進まず、ただ破壊の惨状が広がり続ける。種々の経緯はあるにせよ一方的に侵攻した加害国を糾弾するのは至極当然だと思うのだが、喧嘩両成敗のような屁理屈で被害国の政策に対して批判に転じる者がおり、国を明け渡して逃亡あるいは降伏を勧める者も現われる始末である。もちろん、有事に際して浮足立たないこと、冷静な議論に努めることは重要であるが、人間としての公憤を欠いた無思慮なコメントは単なる冷淡、あるいは冷酷に過ぎない。ニュースのランキングで戦争の残虐さから芸能人の不貞あるいはお花見の案内まで一気に見せつけられると、認識の乱高下に眩暈を覚えそうになる。しかし、大勢はそれに違和感もなく順応しているように見える。一体、私たちの社会はどうなってしまったのか。

世情は偽善と露悪(4)の両極端に引き裂かれ、両者を御する平衡感覚は失われたままである。どうにかして平衡を取り戻し、正気を保つ努力をしなければならないはずだが、むしろこの錯乱を愉しみ、この翻弄に依存し、自己喪失を自ら呼び込む状況さえ見られるのは不思議なことである。この異様な社会に巣食い、蠢いている得

(4)　このキーワードは夏目漱石『三四郎』(一九〇九年)の登場人物である「広田先生」の発言に着想を得ている。「近頃の青年は我々時代の青年と違って自我の意識が強過ぎて不可ない。吾々の書生をしている頃には、する事為す事一として他を離れた事はなかった。凡てが、君とか、親とか、国とか、社会とか、みんな他本位であった。それを一口にいうと教育を受けるものが悉く偽善家であった。その偽善が社会の変化で、とうとう張り通せなくなった結果、漸々自己本位を思想行為の上に輸入すると、今度は我意識が非常に発展し過ぎてしまった。昔の偽善家に対して、今は露悪家ばかりの状態にある」(夏目漱石(二〇一一年)『三四郎』新潮文庫、一九三―一九四頁)。この場合の偽善と露悪は建前と本音に対応している。前者は理想主義的、形式主義的で、後者は現実主義的、利己主義的であると言えよう。社会性は両要素の振幅の中でバランスを取りながら保たれているのであろうが、今日においては両極端に引き裂かれており、偽善は欺瞞、露悪は恣意と化しているように思われる。筆者が本文で用いている偽善は、もはや「他本位」ですらない単なる虚説の謂いである。

体の知れないものとは何なのだろうか。本章では、それを「大衆」[5]（mass）と捉えたい。近代において大量生産による大量消費が可能となり、それによって日常生活は平均化し、社会行動は画一化し、いわゆる〈大衆化〉が始まった。さらにマスメディアの発達によって大衆操作が容易となり、思考様式までもが標準化され、人間そのものが均質化されていった。社会的平等と物質的充足という価値観が専横を極めて、現代においては、その最終段階にあると言える。大衆は社会の在り方を軽佻浮薄な世へと突き落とすばかりではない。それが全体主義の温床であった歴史[6]を想起するに、再び世の中を阿鼻叫喚の巷と化すことだろう。既に手遅れであるのかもしれないが、絶望して見過ごしたままにもできない。本章の主眼は大衆の紊乱を批判することにあるが、この主題に伴って予想されるような高踏的な趣向にならないよう注意を払いたい。というのも、筆者は自分自身も大衆の一部であるという自戒を持っているからである。しかし、流されたまま飲み込まれたくないので少しばかり足掻いてみたいと思う。そのために、先哲の叡智による大衆批判の系譜を跡付けてみることにしよう。

（5）　かつては仏教に帰依した僧侶のことを大衆（たいしゅ）と呼んだそうだが、近代以降、この言葉は資本家の寡頭支配に抵抗する労働者として、またデモクラシーの体制下で尊重される主権者として称えられることが多い。本章で問題にする大衆はそれらと無関係ではないが、必ずしも社会階級や政治階級に限定されない人間の性質を問うものとして考えられている。

（6）　端的には、社会経済学者エミール・レーデラーの定義が有効であろう。「全体主義国家は大衆の国家である」（エミール・レーデラー著、青井和夫・岩城完之共訳（一九六一年）『大衆の国家――階級なき社会の脅威――』（現代社会科学叢書）東京創元社、四一頁）。この問題については筆者のナチズム研究の展開とともに稿を改めたいが、レーデラーを含めて、ウィリアム・コーンハウザー著、辻村明訳（一九六一年）『大衆社会の政治』（現代社会科学叢書）東京創元社、シグマンド・ノイマン著、岩永健吉郎・岡義達・高木誠共訳（一九九八年）『新装版　大衆国家と独裁――恒久の革命――』みすず書房、ハンナ・アーレント著、大久保和郎・大島かおり訳（二〇一七年）『新版　全体主義の起源3　全体主義』みすず書房の考察が、議論の土台になるものと思われる。

水平化の鎌

デンマークの思想家セーレン・キェルケゴールは大衆社会論の先駆者という一面を持っている。彼は三三歳の時に、匿名作家（ギーレンボルグ夫人）の小説『二つの時代』の批評を『文学評論』（一八四六年）において行ったが[7]、この第3章「両時代の考察から得られるもの」が大衆社会の批判に充てられている。それはカール・ヤスパースやマルティン・ハイデガーの思索にも影響を与えており、邦訳においては『現代の批判』と題されている。

キェルケゴールは出自に絡む秘密の開示、すなわち実存を震撼させる「大地震」の経験[8]により人生に憂愁を帯び、自身の呪われた生に誰も巻き込んではならないと苦悩し、こよなく愛するレギーネとの婚約さえ破棄したものだが、内なる情熱的な信仰心が旺盛な著作活動へと駆り立て、実存主義の嚆矢として思想の世界に偉業を打ち立てた。

ある因縁から一年も経たないうちに命は尽きてしまうだろうとの宿命[9]を背負っていた彼は、精力的に展開した著述活動に区切りをつけて、さながら余生のような日々を過ごしていたのだが、その平穏な日常は突然にして打ち破られることになる。いわゆるコルサー事件[10]（一八四六年）である。それは自作に対して書かれた批評

（7）執筆の経緯については、飯島宗亮（一九七五年）「解説『現代の批判』」『死にいたる病／現代の批判』白水社、二九九-三〇四頁を参照されたい。

（8）キェルケゴールの出生について、母アーネは婚前での妊娠であったこと、その際に父ミカエルの暴力があったこと、それを知らされた出来事が「大地震」に喩えられた。この点については、橋本淳（一九八五年）『キェルケゴール　憂愁と愛』人文書院、二八-三二頁を参照されたい。

（9）キェルケゴールの父ミカエルは貧農だった頃に神を呪ったことがある。後に商人として大成するも、この経済的成功こそが神から与えられた罰ではないかと悲観する。さらに子供たちもキリスト磔刑時の三四歳までしか生きられないと憂慮し、キェルケゴール本人の意識にも暗い影を落とした。

（10）この事件の概要については、ヨハンネス・ホーレンベーヤ著、大谷長他共編（一九八〇年）『セーレン・キェルケゴール伝』ミネルヴァ書房、二一五-二五二頁が詳しい。

（学生時代の友人P・L・メラーによる）が軽率に過ぎると反論したことから巻き起こった、キェルケゴールに対する諷刺紙『コルサー』の誹謗であり、その中で彼の婚約悲劇は面白おかしく暴き立てられ、あろうことか容姿を侮辱するカリカチュアが連載され、底意地の悪い中傷の数々が拡散された。卑怯な掲載記事にもまして彼を苦しめたのは、行き交う人々から差し向けられた嘲笑であった。ゴシップを鵜呑みにした人々は彼を笑いものにして楽しみ、親しかった者も擁護しないで疎遠となり、教会をはじめ指導的な立場にある者は沈黙してしまった。彼は磔刑に処せられたわけではないが、それは「嘲笑の殉教」[11]と呼ぶにふさわしい出来事だった。

　失意に沈むキェルケゴールであったが、これを単に個人的な問題として片付けるのではなく、その苦悶を思想へと昇華させ、鋭利な時代批判として広く異議申し立てを行うのであった。その反転攻勢の場が、いわゆる『現代の批判』だったのである。その中でも「見よ、水平化の鋭い鎌が、すべての人々を、ひとりひとり別々に、刃にかけて殺していく」[12]という言葉はよく知られたものだが、この預言者的洞察に込められた「水平化」という概念こそ大衆批判の要点であると言える。彼は「現代」という時代を次のように説明している。

> 現代は本質的に分別の時代、反省の時代、情熱のない時代であり、束の間の感激にぱっと燃えあがっても、やがて小賢しく無感動の状態におさまってしまうといった時代である。[13]

（11）橋本淳（一九七九年）『逍遥する哲学者――キェルケゴール紀行――』新教出版社、一九二―一九七頁を参照。
（12）キルケゴール著、桝田啓三郎訳（一九八一年）『現代の批判　他一篇』岩波文庫、一一二頁。
（13）前掲書、二三頁。

この指摘は一九世紀のデンマーク社会に対して行われたものだが、今日の精神状況にも当てはまる。キェルケゴールは「現代」の特性として「反省」を取り上げ、その「緊張」からもたらされる「妬み」が「水平化」の現象を生み出していると主張し、このメカニズムに〈大衆化〉の実態を看取している。ここで用いられている分別や反省という言葉は、積極的な意味では全く用いられていない。キェルケゴールによれば、反省とは「直接性」を殺すものであり、ある種の抽象化を指している（当然、議論の背景にはヘーゲル批判があるが、ここでは深追いしない）。直接性とは人間が拠って立つ足場のようなもの、身体的感覚、自然性、感性的なものと解釈できるだろうが、反省はそれらを削ぎ落していく。それは自らに対して過度の分別を強い、一切を突き詰めないで、分かったつもりで無難に済ませようとする態度を意味する。反省は現実の生に対して情熱深く関わろうとしないし、厳しい人生の選択をできるだけ避けようとする。例えば、熱烈な恋に落ちた二人は後先も考えず、ただ無我夢中に二人の世界を生きる。その昂揚によって人生は美しく映えようものだが、反省が作用すると生活の保障、住居費や光熱費の計算、可処分所得の確認に忙しくなり、恋愛関係は関係として維持されるが、本来的な関係からその意義を詐取されてしまっている。関係は関係としてあるにはあるが、それはもはや関係ではない。このような状況を引き起こす作用は「反省の緊張」と呼ばれる。この場合の緊張は、破滅してしまうほどの力が張り詰められた状態のことではなく、生きる力を挫き萎えさせてしまうような働きをするものと理解できる。関係は関係としてあるが、反省の緊張によって曖昧なものに変えられてしまう。反省の緊張において、善と悪のどちらなのか、あれかこれか、という厳しい選択が迫られるのではなく、どちらでもない、どちらでもよい、あれもこれもとやり過ごし、選言的な対立から逃れようとするのである。このように情熱を伴う決断が妨げられると、人は妬みに染められていく。つまり、困難な選択を行うという傑出（英雄的決断）

を許さなくなるのである。

現代は平均しておそらく過去のどの世代よりも物知りだといえるだろう。しかし現代には情熱がない。だれもがたくさんのことを知っている。どの道を行くべきか、行ける道がどれだけあるか、われわれはみんな知っている。だが、だれひとり行こうとはしない[14]。

人々はお互いに好奇の目を向けあい、みんなが、決断できぬままに、かつ、逃げ口上をちゃんと心得て、なにかやる人間が現われるのを待望し――現われたら、そいつを賭けの種にしようというわけなのだ[15]。

英断できる傑出した人物が現われても、決して称賛されはしない。反省の緊張がもたらす妬みによって、そのような人物は貶されて引きずり落とされるか、あるいは見世物のように晒されて「おしゃべりの種[16]」になるだけである。盛り上げるだけ盛り上げて、飽きてしまったら突き落として、その没落ぶりを楽しむ。こうした妬みが社会を統一する原理となって定着すればするほど、人々は個性を手放し、自己を失っていく。つまり、

（14）　前掲書、一〇三頁。
（15）　前掲書、一〇五頁。
（16）　「おしゃべりの種」について補足しておく。キェルケゴールは次のように述べている。「自分自身ではなにひとつ理解せず、また自分自身ではなにひとつする気もない、この無精な群集、この立見席の観衆は、そこで、気晴らしを求めて、世間の人のすることはみなおしゃべりの種になるためにおこなわれるのだ、という空想にふける。この無精者は、いかにもえらそうに足を組んで神輿を据えていて、働きたがる人間は、王さまだろうと役人だろうと、国民の教師だろうと有能な新聞記者だろうと、詩人であろうと芸術家であろうと、だれもかれもがみんな、他人はすべて自分の馬だと思ってえらがっているこの無精者を引っ張ってゆくために、いわば馬車の前につながれるということになる」（前掲書、八〇-八一頁）。

人間は無性格となる。匿名性の仮面を被り、主体性は覆われる。これがキェルケゴールの言う「水平化の抽象」であり、それは「人類の自然燃焼」に譬えられる。

水平化がほんとうに成り立ちうるためには、まず第一に、ひとつの幻影が、水平化の霊が、巨大な抽象物が、一切のものを包括しはするが実体は無である何物かが、ひとつの蜃気楼が作り出されなければならない——この幻影とは公衆である。[17]

公衆は一切であって無である。あらゆる勢力のうちで最も危険なもの、そして最も無意味なものである。[18]

キェルケゴールが用いた「公衆」（Publikum）という言葉を「大衆」の意味と捉えて支障はないだろう。反省の緊張が妬みという統一原理を生み、それによって進行する水平化の抽象が公衆という幻影を作り出し、全てを覆い尽くしてしまう。実体がないから、具体的な手段をもって打破することもできない。キェルケゴールは蜃気楼と呼んでいるが、雰囲気と言ってもよいのかもしれない。それは見えないが確かに存在しており、私たちも実際に圧迫されている。その深淵に飲み込まれたら、闘うことも逃げることもできない。公衆の幻影に捕われることは、見えない監獄に囚われるようなものではないか。しかもさして居心地が悪いわけではないので（自分自身で現実に向き合うという厳しさから逃れられるという意味で）、留まり続けることができるのか

(17) 前掲書、七二頁。
(18) 前掲書、七八頁。

もしれない。さらに、この幻影はメディアによって拡張されると、キェルケゴールは指摘する。メディアとは情報を伝達し意味を交換するコミュニケーションの媒体であるが、ここで名指しされるのは新聞である（なお、同旨を主張したのがアレクシス・ド・トクヴィルであった）。

新聞という抽象物は（というのは、雑誌とか、定期刊行物とかいうものは、民意の具体的なあらわれではなく、ただ抽象的な意味においてのみ、一個の存在なのだから）時代の情熱喪失症および反省病と結託して、あの抽象物の幻影を、水平化の張本である公衆を、産み出すのである。[19]

過剰な反省に陥り、妬みの代弁者に成り下がった新聞という媒体は、あらん限り水平化を増長させるが、それは「退廃的な快楽」と「官能の刺激剤」[20]をもたらすだけだとキェルケゴールは手厳しく批判している。けだし「退廃的な快楽」と「官能の刺激剤」は私たちのSNSという新しいメディアにおいて支配的なトレンドであり、まさに「幻影の時代」[21]さながらの現代日本において「水平化の抽象」は完成を見たと言えるのではないか。しかも、そこでは無責任な謬説であっても多数の「いいね」が伴えば（場合によっては瞬間的に数千、数万とカウ

(19)　前掲書、七九頁。

(20)　「ひとつの時代にイデーが存在することが少なければ少ないほど、ひとつの時代が、ぱっと燃えあがる感激に疲れはてて、無感動の状態に落ち着くことが多ければ多いほど、しかもそのうえに、時代を動かすような事件もイデーもないので、新聞がだんだんと貧弱になってゆくものと考えられるとすれば、それだけ容易に水平化はますます退廃的な快楽となろう。一瞬間だけ感情をくすぐって悪をますます悪化させ、そして救済の条件をますます困難にし、滅びの確率をますます大きくするだけの官能の刺激剤となることであろう」（前掲書、八〇頁）。

(21)　ダニエル・J・ブーアスティン著、星野郁美・後藤和彦共訳（一九六四年）『幻影の時代――マス・コミが製造する事実――』（現代社会科学叢書）東京創元社を参照のこと。

ントされる）、一つの見解として成り立つのであり、それが「世論」の大部分を担っているのである。次の引用からキェルケゴールの先見性がいかに優れたものか窺い知ることができるが、私たちの置かれている状況は既述の通り、より深刻であり、より混沌としている。

今日では、だれでもが意見をもつことができるのだが、しかし意見をもつためには、彼らは数をそろえなければならない。どんなばかげたことにでも署名が二十五も集まれば、結構それでひとつの意見なのだ。ところが、[22]このうえなくすぐれた頭脳が徹底的に考え抜いたうえで考え出した意見は、通念に反する奇論なのである。

学識を伴った正論ほど厳しい現実を突き付けてくるので、それらに耐えられない、あるいは厳格に考えると面倒なので、奇論として扱っておけばよい。これとは逆に、それが謬説であっても心地良く響くのならば広く受け入れられるし、それが暴論であってもフォロアー数や再生回数の支持があれば定論にもなる。専門的な議論も緻密な検討もなく、なんとなくその場の雰囲気で左右される。キェルケゴールの言葉を借りれば「蘊奥を極めた深遠な知識」はもはや通用せず（そもそも求められていない）、専門性は軽視（あるいは無視）され、「軽武装の百科全書家たちの出番」が到来し、ただ大衆受けするための簡便なマニュアル化が進められ（勧められ）、分かりやすさだけが要望される。無性格に無思考が加わり、主体的真理の探究は放擲され、すべからく無意味になる。情熱も感動もなく、抽象化された生に耽溺して、何のための人生なのか。それは無益なのではないか。

(22) キルケゴール著、前掲書、一〇七–一〇八頁。

キェルケゴールの訴えが響く。そして、彼は次のように断定する。大衆は非真理であると。

多くの人々が便々として日を過し、とかくそうして日を送りがちなのを思うと、それが恐ろしいのである。わたしは、堕落した人たちのこと、あるいは少なくとも、金銭のために犬の役割を演ずる、滅びの道へ迷いこんだ人たちのことを言おうとしているのでは決してない。むしろわたしが言いたいのは、ふらふらと過していている人、うかうかと暮らしている人、官能の快楽を追う人、つまり、お上品で無気力なままに、人の世に生きている事実からあの意味もなくにやにやと冷笑をもたらすほかなんら深い印象を受けとらない、そういう多くの人たちのことである。[23]

彼によって指摘された水平化の抽象はより深く、公衆の幻影はより広く、要するに〈大衆化〉は現在も加速度的に進行し、しかも終極に達せんとする勢いである。個性がもてはやされている私たちの時代は、かえって個性のない群れ、主体性のない抜け殻で溢れており、判断能力を欠いた〈スマホゾンビ〉になりつつあるのではないかと危惧される。キェルケゴールの言葉は拳拳服膺されるべき警句として受け止めるべきではないだろうか。

心理的群衆

いわゆる〈大衆化〉のメカニズムを社会心理学の立場から分析したのが、医学者であり心理学者であった

(23) 前掲書、八四頁。

ル・ボンの『群衆心理』（一八九五年）である。彼の人生は一九世紀末フランスの動乱期にあって、幼少期には二月革命（一八四八年）が勃発し、壮年期には革命的な自治政府であるパリ・コミューンが成立している（一八七一年）。ル・ボンは労働者の力を結集した市民革命のダイナミズムを目の当たりにしつつも、「群衆は、自ら真理あるいは誤謬と信ずることに何らの疑いをもさしはさまず、他面、おのれの力をはっきりと自覚しているから偏狭であるに劣らず横暴でもある(24)」と指摘し、善良な一般人が熱狂に駆り立てられて「群衆」と化していく様子を的確に描いている。

普通の意味で、群衆という言葉は、任意の個人の集合を指していて、その国籍や職業や性別の如何を問わないし、また個人の集合する機会の如何を問わないのである。心理学の観点からすれば、群衆という語は、全く別の意味をおびるのである。ある　定の状況において、かつこのような状況においてのみ、人間の集団は、それを構成する各個人の性質とは非常に異なる新たな性質を具える。すなわち、意識的な個性が消えうせて、あらゆる個人の感情や観念が、同一の方向に向けられるのである。一つの集団精神が生れるのであって、これは、恐らく一時的なものではあろうが、非常にはっきりした性質を示すのである。そのときこの集団は、ほかにもっと適当ないい方がないので、組織された群衆、いや何なら、心理的群衆とでも名づけよう、ともかくそういうものになるのである。それは、単一の存在を構成して、群衆の精神的統一の心理法則に従っているのである(25)。

(24)　ギュスターヴ・ル・ボン著、前掲書、六四頁。
(25)　前掲書、二五–二六頁。

この「群衆の精神的統一の心理法則」を明らかにするのが『群衆心理』の目的と言える。[26] ル・ボンの議論を要約すると、人間は集団の中に置かれると意識的な個性が失われて「暗示」を受けやすくなり、何ら精査することなく、物事を軽々しく信じるようになる。群衆は理性や良識ではなく「心象(イマージュ)」によって物事を捉える。それがどれほど支離滅裂な内容であったとしても、群衆の中に心象を喚起する「標語」の力が強ければ強いほど、すんなりと受け入れるようになる（現代の広告技術を見れば分かるのではないか）。指導者（その代わりとなり得る定期刊行物！）による「断言と反覆と感染」[27]によって、暗示は素早く行われ浸透する。言い切られ、繰り返され、大勢にシェアされると、それはもはや自明となり、抗うことはおろか、疑いを持ったり不安を覚えたりして慎重に検討しようとする思考は麻痺してしまう。こうした群衆は衝動的ゆえに煽動されやすく（両極端に引き裂かれやすく）、独断的ゆえに昂奮しやすい特徴を備える。著しく批判精神が欠けているので、想像し、推理し、判断する能力に乏しく、その代わりに感情が誇張され剝き出しになり、行動は偏狭と横暴にひた走るのである。ル・ボンは「心理的群衆」を文明の破壊者と位置付けている。辛辣な表現が含まれているが、そのことについて引用したい。

(26)　したがって、ル・ボンの議論は近代的現象としての〈大衆化〉のプロセスに留まらず、歴史的に見られた熱狂する集団心理の解明にも適用できるところがある。近代的な大衆と歴史的な群衆は無関係ではないが、厳密には区別して論じる必要があるだろう。ここでは、双方に共通する行動様式の心理学的分析という意味で理解されたい。なお、集団心理の熱狂や狂気のメカニズムについては古典的著作であるが、チャールズ・マッケイ著、塩野未佳・宮口尚子共訳（二〇〇四年）『狂気とバブル――なぜ人は集団になると愚行に走るのか――』パンローリングを参照されたい。また、今日のアイデンティティ・ポリティクスをめぐる議論の暴走について、ダグラス・マレー著、山田美明訳（二〇二二年）『大衆の狂気――ジェンダー・人種・アイデンティティ――』徳間書店も興味深い。

(27)　ギュスターヴ・ル・ボン著、前掲書、一六〇頁。

幾多の文明は、これまで少数の貴族的な知識人によって創造され、指導されてきたのであって、決して群衆のあずかり知るところではなかった。群衆は、単に破壊力しか持っていない。群衆が支配するときには、必ず混乱の相を呈する。およそ文明というもののうちには、確定した法則や、規律や、本能的状態から理性的状態への移行や、将来に対する先見の明や、高度の教養などが含まれている。これらは、自身の野蛮状態のままに放任されている群衆には、全く及びもつかない条件である。群衆は、もっぱら破壊的な力をもって、あたかも衰弱した肉体や死骸の分解を早めるあの黴菌のように作用する。文明の屋台骨が虫ばまれるとき、群衆がそれを倒してしまう[(28)]。

なぜこうなってしまうのか。ル・ボンは「心理的群衆」の増大に対して抵抗するものがなくなったと主張している。つまり、旧来の信念が次第に力を失っていき、方向性を与えることができなくなり、その場しのぎのオピニオンを牽制できなくなってしまったのである。ル・ボンは、新聞や雑誌の普及が相反する意見を垂れ流し続けることによって、結局どのような意見も流布するには至らず、ただ無関心を助長するだけだと述べているが、まさに私たちの現状がそうなっている。実生活に根差した健全な庶民感覚が滅び去って、新奇にして陳腐なコメントの類が大衆心理に影響を及ぼし、適正な判断の基盤を浸蝕している。その基盤は何によって成り立っているのかというと、ル・ボンによれば、それは「種族性」、「伝統」、「時」、「制度」、「教育」によると考えられている。そして、これらの衰弱化が〈大衆化〉の要因となっていると解釈される。そうであれば、祖先伝来の暗示を表わす「種族性」、種族の精神の総合としての「伝統」（過去の思想、欲求、感情）、混乱のうちに

（28）前掲書、一九頁。

秩序を生み出してきた「時」（時代）の作用、そして伝来の思想、感情、習慣から生み出された実際的な「制度」（政治制度と社会制度）、さらに制度の中で人間の資質を定め、創意を養い、判断力を磨くような訓育陶治を担うものとしての「教育」の再興（批判的継承）が、荒れ狂う群衆心理を鎮める手立てとなる。誤解のないように付け加えておくと、何も旧習を墨守せよと言っているのではなく、過去の制度を少しずつ改めつつも、種族において保ち守られてきたものを排除することなく堅持せよということである。と言うのもこれがなければ、世の中から道理が失われてしまうからである。

旧来の理想を遂に失うと、種族は、その精神をも失ってしまうのである。種族は、もはや孤立した個人の集合にすぎなくなって、その出発点の状態、つまり群衆の状態に立ちもどってしまい、もはや群衆としての、堅実さも将来性もない、一時的なあらゆる性質を示すのである。その文明は、もはや全く安定を失って、あらゆる偶然にもてあそばれるがままになる。下層人が、主権者となり、野蛮人が、進出してくる。それでもなお、文明は、はなばなしく見えることがあるかも知れない。それは、永い過去によって創造された外観を保っているからである。しかし、実際には、その文明は、虫食んだ建築物も同然で、もはや何ものにも支えられていないから、最初のあらしで崩壊してしまうであろう。(29)

見かけはそれなりの体裁を保っていても、中身が腐っていることはよくあることであり、現代の日本社会に突き付けられた厳しい問いとして受け止めることもできるだろう。なお、ル・ボンの言う「下層人」や「野蛮

（29）前掲書、二六八-二六九頁。

人」は、教育や財産を持たない社会的階級のことではないし、権力を持たない政治的階級のことでもなく、人間の劣化した精神性の形容であると付言しておきたい。

文化的小児病

『中世の秋』や『ホモ・ルーデンス』で高名なすランダの歴史学者ヨハン・ホイジンガは『朝の影のなかに』（一九三五年）において独自の文化論を展開し、全体主義の勃興に対して強く警鐘を鳴らした。

ホイジンガによれば、文化は「精神的価値と物質的価値の均衡[30]」を必要としているが、科学技術の発展が両者のバランスを崩したと指摘する。彼はラジオの事例を挙げているが（時代的な制約があることは否めない）、私たちにとってはインターネットを取り上げた方が手っ取り早い。つまり、スマホを開いただけで見知らぬ一つの大陸が自分のものになる、ある生の在り方が自分の方へやって来るというわけだが、果たしてこのように伝えられる生の在り方は、本当に自分自身を成熟させることにつながるのか。インターネットで世界とつながると言われるが、情報の断片に触れただけであって、何ら経験的な蓄積にはなっていない。いかなる臨場感もなければ、いかなる躍動感もなく、実際は殺伐としている。しかし、現代の私たちは、それだけで全てを理解したと錯覚する。

さらに、ホイジンガは文化とは「志向すること」であり、自分を超越した理想へ向かう「努力」を内包していると主張する。したがって、文化の担い手は当為の感覚、奉仕の精神、犠牲の観念を備えて、理想へ献身し

(30) ヨハン・ホイジンガ著、堀越孝一訳（一九七一年）『朝の影のなかに』中央公論社、五〇頁。

なければならないはずだが、科学技術は受動的になることを許して、文化の発展に対する自発的な態度を失わせる。簡単に言えば、スマホで検索すれば済むのであり、自ら動いて図書館に通い、現地調査に赴く必要はなくなったのである。ホイジンガの予想は最悪の形で実現されているように思う。この受動的な態度は「文化的小児病」（ピュアリリズム）をもたらすと、ホイジンガは述べている。

判断能力の発展段階からみて、それ相応以下にふるまう社会、子供を大人にひきあげようとはせず、逆に子供の行動にあわせてふるまう社会、このような社会の精神態度をピュアリリズムと名付けようとおもう。[31]

かつて子供向けの解説としてよく練られたニュース番組があったが、今ではそれはゴールデンタイムの報道特番となり、多くの図表を使いながら複雑な世界情勢を分かりやすく説明していると評判である。分かりやすい説明を受けて満足し、複雑な考察は行わないまま、分かったつもりになってやり過ごし、しばらくすると忘れ去る。ただ世界を玩具にして遊んでいるだけではないか。これがピュアリリズムの典型だと言い切るつもりはないが、明らかにその徴候を示してはいる。

教養があるなしにかかわらず、じつに多くの人のばあい、生に対する構えは、いぜんとして、あそびと人生とに対する少年の心そのままである。さきにわたしはたまたま、永遠の青年期と呼んでしかるべき、

（31）前掲書、一六〇頁。

あのひろくみとめられる精神状況について語った。それを特徴づけるのは、適切なことと適切ではないことをみわける感情の欠落、他人および他人の意見を尊重する配慮の欠如、個人の尊厳の無視、自分じしんのことに対する過大の関心である。判断力と批判意欲の衰弱がその基礎にある。このなかばみずからえらびとった昏迷の状態に、大衆はひじょうな居心地のよさを感じている。ひとたび倫理的確信のブレーキがゆるむや、いついかなる瞬間にも危険きわまりないものとなりうる状況がここにある。(32)

文化の発展に対する受動的な態度は理想への献身と奉仕の精神を失わせ、幼稚化を加速させる。さらに集団や組織の画一化が無責任な大衆行動に拍車をかけて、文化を非理性化、野蛮化すると、ホイジンガは分析している。物質的幸福と富に対して欲望が増大し、支配と所有に対して利己的衝動が暴走する。このようにして倫理規範が荒廃し、社会は非人間化していくのだが、これが全体主義の温床になるのである。そのプロセスを凝視していたホイジンガの筆致には、実に悲壮感が漂っている。

理性への回帰、せめてはこれが要件だとはしても、わたしたちが正しい道を歩んでいるとはだれにもいえまい。どうみても、わたしたちは、この文化を脅かすに足る危機の錯綜を経験しているのだ。感染と中毒とに対する抵抗力の弱まりという状況、酩酊状態にも比すべき状況がみられるのである。精神は荒廃した。思想の交換手段、ことばは、文化の進展につれて、その価値を低めつつある。ことばは、ますます多量に、ますます安易にまきちらされる。話され、あるいは綴られることばの価値の低下に正比例して、真

(32)　前掲書、一六七頁。

理に対する無関心がふかまる。非理性的な精神の構えがその地歩をすすめるにつれて、どの分野にあっても、誤った認識のはたらく余地がますますひろがる。商業的煽動的傾向の一時の宣伝が、たんにみかたの相違にしかすぎぬものを、一国全体の幻覚にまで拡大してしまう。日々の思念は即座の行動を要求する。いったい、偉大な想念がこの世界にしみとおってゆくのは、ごくゆっくりした歩みでしかないというのに。都会にただようアスファルトとガソリンの匂いのように、世界の上には、むなしくあふれることばの雲がかかっている。[33]

要するに、〈大衆化〉を文化論的に説明すると、それは幼稚化から野蛮化への移行であり、文化から倫理的性格が失われると、精神は荒廃するのである。真理への無関心を憂慮し、文化の非理性化が全体主義に帰結すると警告したホイジンガは、台頭してきたナチズムの脅威に対して批判的に対峙した。その結果、彼は一九四二年にオランダへ侵攻したナチス・ドイツ軍によって危険分子として強制収容所へ収監されてしまう。病気を理由に釈放された後も居住地を限定される状態で、言わば軟禁され続けた。彼は祖国の解放を見ることなく失意のうちに世を去っている。ホイジンガの大衆批判の背後にどれほど緊迫した危機感があったのか、私たちは改めて認識を深める必要があるだろう。そして、現代を生きる私たちにとっても全く他人事ではないと知るべきである。

（33）前掲書、一九三―一九四頁。

大衆人

スペインの哲学者ホセ・オルテガ・イ・ガセットの『大衆の反逆』（一九三〇年）は誤解を招くことがある。どういうことかと言うと、その表題から、虐げられた大衆が一斉に蜂起して不当な権力者たちに立ち向かう姿を連想しそうになるのである。だが、このような意図は一切ない。本書は、大衆が能力もないのに自分たちの限界に逆らって国家の支配者になろうと企てることを愚かだと批判する内容である。大衆とは、秀でた個性を抑圧し、凡庸であることを恥とも思わずに、むしろそれを権利として声高に主張する「平均人」のことであり、これまで取り上げたキェルケゴール、ル・ボン、ホイジンガの見解と軌を一にしている。

スペインでは、第一次世界大戦後の一九二三年にミゲル・プリモ・デ・リベラ将軍の「愛国同盟」による軍事独裁政権が誕生する。その様子を目の当たりにしていたオルテガは、マドリードの日刊新聞「エル・ソル」紙上で大衆社会の暴走を痛烈に批判した。その集成が『大衆の反逆』として刊行されたのである。リベラ将軍の死後に軍制は瓦解し、さらにその後ろ盾であった国王アルフォンソ13世は国外へ亡命し、王政そのものが崩壊した（一九三一年）。これによりスペインは第二共和政を成立させるが、大学教授であったオルテガは知識人からなる政治結社「共和国奉仕集団」を結成し、共和政の擁護を唱えた。彼は制憲議会の代議士として政治活動にも参入しているが、苛烈な政争に巻き込まれていき、一九三六年に勃発したスペイン内戦によって国外脱出を余儀なくされた。そのような時代背景に留意しつつ、「大衆の反逆」の意味を考えてみたい。オルテガは次のように説明している。

ことの善し悪しはともかく、今日のヨーロッパの社会生活において最も重要な一つの事実がある。それは、大衆が完全な社会的権力の座に上ったことである。大衆はその本質上、自分自身の存在を指導することもできなければ、また指導すべきでもなく、いわんや社会を支配するなどおよびもつかないことである。したがってこの事実は、ヨーロッパが今や民族、国家、文化の直面しうる最大の危機に見舞われていることを意味している。こうした危機は、歴史上すでに一度ならず襲来しており、その様相や、それがひきおこす結果は周知のところで、その名称も知られている。つまりそれは、大衆の反逆と呼ばれている[34]。

大衆とは善きにつけ悪しきにつけ、特別な理由から自分に価値を見いだすことなく、自分を「すべての人」と同じだと感じ、しかもそのことに苦痛を感じないで、自分が他人と同じであることに喜びを感じる人びとのことである[35]。

オルテガの言う大衆は、生まれながらの特権階級（身分制度における世襲貴族）と対置されるような社会的階級のことではなく、一つの「人間類型」として考えられている。それは単に人民（*δῆμος*）の支配（*κράτος*）でしかないデモクラシー（*δημοκρατία*）の名のもとに「世論」を振りかざして、政治指導者たちを逆に操作する者のことである。オルテガは「大衆人」という表現を用いているが、それは自らを取り巻く豊かな世界が当たり前にあると錯覚し、生を享受し育まれてきたことに感謝せず、見えざる多くの恵みに対して忘恩で返し、自分は誰の力も借りず自立し、自律できていると満足し、知的に自己閉塞する者のことである。オルテガによ

(34) ホセ・オルテガ・イ・ガセット著、桑名一博訳（二〇〇九年）『大衆の反逆』白水社、五七頁。
(35) 前掲書、六三頁。

れば、「大衆人」の特徴は以下の三点にまとめられる。

第一に、大衆人は生まれたときから、生は容易であり、あり余るほど豊かで、なんら悲劇的な限界をもっていないという根本的な印象を抱いている。したがって平均的な各個人は、自分のうちに支配と勝利の実感を持っている。第二に、この支配と勝利の実感が彼にあるがままの自分を肯定させ、彼の道徳的、知的財産はりっぱで完璧なものだと考えさせる。この自己満足の結果として、彼は外部からのいっさいの働きかけに対して自己を閉ざし、他人の言葉に耳を傾けず、自分の意見を疑ってみることもなく、他人の存在を考慮しなくなる。心の底にある支配感情がたえず彼を刺激し、彼に支配力を行使するように仕向ける。だから彼は、この世には彼と彼の同類しかいないかのように振舞うことになる。したがって第三に、彼はあらゆることに介入し、なんらの配慮も内省も手続きも遠慮もなしに、つまり「直接行動」の方式に従って、自分の低俗な意見を押しつけることになる。(36)

大衆人は偶然が彼の内部に堆積したきまり文句、偏見、思想のきれはし、あるいは無意味な言葉の在庫品を断固として神聖化し、それを大胆にもあらゆるところで他人に押しつけているが、その大胆さたるや、彼らが単純だからというほかには説明のしようがない。……つまり凡庸な人間が、自分はすぐれていて凡庸ではないと信じているのではなく、凡庸な人間が凡庸さの権利、もしくは権利としての凡庸さを宣言し、それを強引に押しつけているのである。(37)

(36) 前掲書、一七四-一七五頁。
(37) 前掲書、一三九頁。

「大衆人」の特徴は自分の能力に対する過信であり、逆に言えば、自分の限界には決して気付かず、何でもできると思い込むのである。そして、全てを自分の尺度で断罪しようとする。当然ながら、自分より優れた意見には従順しない。むしろ、最初から聞く耳すら持たない。あら探しと屁理屈にまみれて、学ぶ気はない。甘やかされた自己正当化しかない。それもそのはずで、今や自らの凡庸さは権利にまで高められるのである。相手に対してデリカシーはなく、平然と土足で踏み込んでくるが（直接行動）、その逆は決して許さない。要するに「大衆人」は自己吟味がなく、義務感も持ち合わせず、生の危機に対して鈍感なのである。とりわけ義務感の有無が、エリート（選良）と大衆を分け隔てている。

「選ばれた少数者」について語られる場合、よくある悪意のために、普通この言葉の意味が歪曲されている。つまり選ばれた人間とは、他人よりも自分がすぐれていると考える厚顔な人間ではなく、自分では達成できなくとも、他人よりも多くの、しかも高度の要求を自分に課す人間であるということを、知っていながら知らないふりをしているのである。というのは、人間を最も根本的に分類すると、次の二種類に分けられることが明らかだからである。すなわち一方は、自分に多くのことを課して困難や義務を負う人びとであり、他方は、自分にはなんら特別なことを課すことなく、生きるということがすでにある自己をたえず保持することで、自己完成の努力をせずに風のままに浮かぶブイのように暮らす人びとである。[38]

選ばれた少数者、エリートは高学歴、高収入の人々を指すのでは全くない。偏差値がどれほど高くとも、そ

（38）前掲書、六三―六四頁。

の人間性において卑しければ、それは「大衆人」である。むしろ、オルテガは「大衆人の見本は専門人である」と言っている。専門領域に閉ざされて、事象の分析はできても全体を意味あるものとして総合できない、したがって俯瞰した見方ができず、しかし持論を絶対化して、己の卑屈であることを誇るような傾向を専門人は持っていると言えば、過言だろうか。筆者は自分自身を振り返ってみて、心当たりがないわけではないと敢えて付け加えておく。

人間の賢さについて、オルテガの語っていることが印象深い。頭脳明晰な人とは、どのような人のことであるのか。それは生を直視できる人のことである。そして、生にあっては一切が問題を孕んでいることを認め、オルテガの言葉を借りれば「自己を迷える者」だと自覚している人のことである。そうでない人間は必然的に自己を見失ってしまうから、「大衆人」は「平均人」として〈のっぺらぼう〉になる。生を直視するということは、自分が制約されていることを感じ、私たちを制約するあらゆるものを考慮に入れなければならないと知ることである。したがって、それができるエリートは不断の鍛錬を求められる苦行者に似て、努力が欠かせなくなる。すなわち、努力をした人が優れた人なのであって、その生き方は高貴であると表現される。「大衆人」は生きることに何らの制約を見出さず、自分のやりたいよう放埒に耽るので、陋劣なのである。

つまりすぐれた人間とは、自分自身に多くを課す者のことであり、凡俗な人間とは、自分自身に何も課さず、現在あるがままのもので満足し、自分自身に陶酔している者であると。一般に考えられているのとは反対に、本質的に奉仕に生きている者は選ばれた被造物であって、大衆ではない。すぐれた人間は、自分の生を何か超越的なものに奉仕させないと生きた気がしないのだ。したがって彼は、奉仕しなければならないことを圧迫だとは考えない。たまたま奉仕する対象が欠けると不安を感じ、自分を押さえつける、より困難で、より求めることの多い新しい規範を発明する。これが規律からなる生、つまり高貴な生である。高貴さの本質を示すものは、自己に課す多くの要求や義務であって、権利ではない。まさに貴族には責任がある Noblesse oblige のだ。[39]

「大衆人」ではない選ばれた少数者、エリートについて、オルテガは端的に「貴族」と呼ぶ。「貴族」は義務と責任を心得て、奉仕の精神を生きようとする。それは困難な道であるが、課せられたこと（規律）を引き受けて、ひたむきに生きようとする人は確かに存在する。そして私たちの歴史は、たとえ名を残さなくても、そのような努力を積み重ねた人々の血と汗と涙によって作られてきたのである。これを単なる精神主義と嗤い、自己犠牲を嘲弄し、生の気高さを侮辱するのが「大衆人」の特性であり、その怠惰な有り様はオルテガの批判するところとなる。

私にとって、貴族とは活力に満ちた生と同義語である。つまり自分自身を越え、すでに獲得した物を越えて、自らに対する義務や要求として課したもののほうへ進もうと、つねに身構えている生のことである。このように、高貴な生は凡俗な生、すなわち無気力な生と対置されるが、こちらの生は、自分自身のなかに閉じこもったまま、外部の力で自分の外へ出ることを強制されないかぎり、永遠の逼塞を宣告されている生である。私がこのような生き方をする人間を大衆と呼ぶ理由はここにあるのだ。つまり、かような生

(39) 前掲書、一二九頁。

き方をする人間がたくさんいるから大衆だというよりは、その生き方が無気力だから大衆と呼ぶのである。[40]

人間の世界というものは、自分で自分に課す義務や自ら従うと判断した規範のもとで生きる「文化的共存」において成り立っており、そこに社会のモラルが形成される。ところが、「大衆人」は義務や規範に対して敬意を払わず、それを前提とした共存形式を嫌悪する。オルテガは「大衆人は完全にモラルを欠いているのである。モラルとはその本質上つねに、何物かに対する服従感であり、献身と義務の自覚である」[41]と述べている。モラルを欠いた「大衆人」は「文化的共存」を忌避し、あらゆる正常な手続きを省略し、自分の願望を直接的に強制し、「無法の道理」を押し通してくる。これが「野蛮的共存」への移行であり、その場合の「直接行動」は暴力の形を取る。暴力とは「あらゆる規範の廃棄を提案する規範」であり「野蛮の大憲章」[42]と言われる。まさにオルテガは狂暴なファシズムと来るべき第二次世界人戦の暴力禍を予見したのだが、阻止することはできなかった。

そうした惨禍の経験を踏まえてもなお、二一世紀の世界は再び来た道を行こうとしている。そして、この逆行もまた政争の具として遊ばれている国際社会の現実があることを、私たちは直視しなければならない。モラルを欠いた「無法の道理」が支配する暴力的な世界にしては断じてならないが、私たちはもはやそこへ落ち込む瀬戸際に立っているのかもしれない。

(40)　前掲書、一三二頁。
(41)　前掲書、三〇三頁。
(42)　前掲書、一四五頁。

生の回復

重ねて言うが、大衆への批判は民衆の蔑視ではなく、あくまでも人間の性質を問うているのであり、オルテガの議論が政治的な貴族主義であるという批難は当たらない。むしろ、一方では義務と奉仕のために懸命に生きる人の生は高貴であり「貴族」と称えられ、他方では強大な権力を持ち、多額の資産を有し、専門の学識を備えていても、その生において卑しければ「大衆」の誹りは免れない。

　時代的制約があるとは言え、〈大衆化〉を加速させるメディアについて、新聞、定期刊行物、ラジオ放送といった事例を取り上げるのは、いかにも時代錯誤であるのかもしれない。しかし、それらにテレビ放送を含めたいわゆる「オールドメディア」を凌駕するインターネットの世界では（利便性や情報公開性に益するところ多であると認めつつも）これまで指摘されてきた悪性の病因は取り除かれることなく、より深刻な病理を発生させていると言えないだろうか（二〇世紀初頭のプロパガンダ、イエロージャーナリズムから、二一世紀に入って顕著なアフィリエイト・プログラム、クリックベイト、フェイクニュース、ポスト・トゥルース、オルタナティブ・ファクトまで）。その意味において、以下に引用するホイジンガの指摘の鮮度は、いささかも落ちてはいないのである。

> いたるところに妄想と妄語がはびこる。かつてないまでに、人びとは、ことばの、合言葉の奴隷となって、たがいに殺しあう、相手を議論で屈服させるのである。世界は、憎しみと誤解を負わされている。愚かものがどのくらいおおぜいいるか、過去にくらべて、どのくらい多いか、その比率を測ろうにも尺度はない。だが、愚かさは、以前にまして旺盛に害毒を流し、高く君臨している。生半可な教養を身につけた、

にぶい精神に対しては、伝統、形式、礼拝といったことへの敬意も、しだいに歯止めとしてはたらかなくなってきた。最悪の事態は、いたるところにみとめられる「真理ということについての無関心」であって、これは、政治的欺瞞の推賞ということのうちに、その極みにまで達している。[43]

人々が伝統や形式に対する敬愛を失うと、信じるに足る価値の優劣が見えなくなってしまい、結局のところ、もう何でもよくなってしまうのである。情報が大量にあり過ぎることが、かえって人々から知的好奇心を奪い、探究する力を阻害している。自分たちで破壊したために、自発的に同意を促されるような権威（判断の拠り所）もどこにも存在しなくなる。時間をかけて積み上げられてきた正論も一瞬で踏み潰されている。ル・ボンの主張を引用してみたい。

今日、討議と分析の前に、およそ意見というものは、威厳を失い、その鋭鋒がたちまち摩滅してしまう。そして、われわれを熱中させることのできるような思想も、ほとんど跡をたっている。現代人は、ますます無関心さに浸透されて行くのだ。[44]

かくして、大衆は精神的なデラシネと化して、粗悪な情報洪水の中を流されていくわけだが、そのような生き方は偽造されたものだと、オルテガは喝破する。

（43）ヨハン・ホイジンガ著、前掲書、一九九‐二〇〇頁。
（44）ギュスターヴ・ル・ボン著、前掲書、一九九頁。

今日吹聴され、誇示され、試みられ、賞賛されているいっさいのことを信じない者は賢明であると言えるだろう。そうしたものはすべて、あっというまに姿を消してしまうだろう。……それらのどれ一つとして根をおろしているものはない。というのは、それらはすべて悪い意味での発明品にすぎず、軽薄な気まぐれと同じものだからである。それらは、生の本質的な基盤から出て来た創造物でもなく、真正なる熱望でも必然性でもないからである。要するにそれらすべては、生の本質から見れば虚偽である。……自らの根を持っている生以外に、避けがたい場合から成り立っている生以外に、真の生はないのである。それ以外のもの、つまりわれわれが手に取ったり、捨てたり、あるいは他のものと代えることができるもの、それらは生の偽造に他ならない。(45)

私たちは偽りと分かっていても、それが楽であればそちらの方へ流されることがある。〈私の権利〉は過剰に求めるが、〈私の義務〉は少しも果たしたくない。自分自身として満悦できているのだから、自己吟味の必要もない。それが分別ある人間なのだと錯覚し、自分で自分に言い聞かせている。この自己欺瞞に陥りやすいからこそ、それを打ち破る努力が欠かせない。オルテガは次のように述べている。

賢者は、自分がもう少しで愚者になり下がろうとしている危険をたえず感じている。そのため彼は、身近に迫っている愚劣さから逃れようと努力するのであり、その努力のうちにこそ英知があるのだ。ところが愚者は自分を疑うことをしない。彼は自分がきわめて分別に富む人間だと考えている。愚鈍な人間が自分自身の愚かさのなかに腰をおろして安住するときの、あのうらやむべき平静さはそこから生まれている。(46)

(45)　ホセ・オルテガ・イ・ガセット著、前掲書、一九三頁。

〈大衆化〉を批判した先達たちは、どのような人生行路を見据えたのか。キェルケゴールは信仰に飛躍し、ル・ボンは伝統に回帰し、ホイジンガは文化の力に託し、オルテガは貴族の生に倣おうとした。大衆社会に生きながら精神が死に絶えないための方策を講じる時、彼らの生き方と考え方は参照に値するのではないか。創造的な生を営むために、「厳格な節制」、「高い品位」、「尊厳の意識(47)」を心がけよとオルテガは言う。単なる理論だと一蹴されるかもしれないが、努力目標として持ち続けるのが、真の賢さを求める生き方ではないのか。

知的凡庸さが社会生活のいたるところを支配するようになって久しく、筆者は自身の言論にも虚しさを感じることがしばしばである。しかし、後進に譲るための道を清掃しておくことはできるかもしれないと考えている。そのために大衆批判というかたちで社会の問題を明らかにし、今後より求められるに違いない人間論を展開した次第である。平等を過度に実現しようとすると、全体が下降していくのである。つまり、低落による平等化を欲求すると、文化は蝕まれるだろう。目指すべきは平等ではなく、向上である。そして、向上するためには、仰ぎ見ることのできる優れた価値を愛さねばならないと思う。

権利ではなく義務の重荷を担い、自己過信ではなく自己懐疑を徹底する、旧来の価値に対して罵倒ではなく敬意を払う、その上で批判能力を高め、主体的な決断を行うことができれば、大衆社会の中で生きながらも、「大衆人」に染まらない、真の意味で自分らしい生を全うすることができるのではないだろうか。老年にあったホイジンガは、そのような希望と信頼を若者に託した。中年期の真っただ中にいる筆者も、次のホイジンガのメッセージとともに、未来を切り拓く若者に対して強い意志と勇気が奮い立たんことを願い、鼓舞したい。

(46) 前掲書、一三八頁。
(47) 前掲書、二四〇頁を参照。

若者には、未来に生きるという仕事がある。判断し、選択し、労働し、行動する義務が待っている。重い責任が若者の肩に移しかえられる。来るべき世界は、その知識を若者に留保する。……世界を、そののぞむところにあわせて、新たに支配し、世界が粗暴と愚昧のあやまちにおちいらぬよう心をくばり、精神をしてふたたび世界にみなぎりあふれせしめる、この仕事が若い世代に課せられている。[48]

【参考文献】

エミール・レーデラー著、青井和夫・岩城完之共訳（一九六一年）『大衆の国家――階級なき社会の脅威――』（現代社会科学叢書）東京創元社。

ウィリアム・コーンハウザー著、辻村明訳（一九六一年）『大衆社会の政治』（現代社会科学叢書）東京創元社。

ダニエル・J・ブーアスティン著、星野郁美・後藤和彦共訳（一九六四年）『幻影の時代――マス・コミが製造する事実――』（現代社会科学叢書）東京創元社。

ヨハン・ホイジンガ著、堀越孝一訳（一九七一年）『朝の影のなかに』中央公論社。

橋本淳（一九七九年）『逍遥する哲学者――キェルケゴール紀行――』新教出版社。

ヨハンネス・ホーレンベーヤ著、大谷長他共編（一九八〇年）『セーレン・キェルケゴール伝』ミネルヴァ書房。

キルケゴール著、桝田啓三郎訳（一九八一年）『現代の批判　他一篇』岩波文庫。

橋本淳（一九八五年）『キェルケゴール　憂愁と愛』人文書院。

西部邁（一九八七年）『大衆の病理――袋小路にたちすくむ戦後日本――』日本放送出版協会。

ギュスターヴ・ル・ボン著、櫻井成夫訳（一九九三年）『群衆心理』講談社学術文庫。

西部邁（一九九六年）『思想の英雄たち――保守の源流をたずねて――』文藝春秋。

シグマンド・ノイマン著、岩永健吉郎・岡義達・高木誠共訳（一九九八年）『新装版　大衆国家と独裁――恒久の革命――』みすず書房。

チャールズ・マッケイ著、塩野未佳・宮口尚子共訳（二〇〇四年）『狂気とバブル――なぜ人は集団になると愚行に走るのか――』パンローリング。

ホセ・オルテガ・イ・ガセット著、桑名一博訳（二〇〇九年）『大衆の反逆』白水社。

ハンナ・アーレント著、大久保和郎・大島かおり訳（二〇一七年）『新版　全体主義の起源3　全体主義』みすず書房。

ダグラス・マレー著、山田美明訳（二〇二二年）『大衆の狂気――ジェンダー・人種・アイデンティティ――』徳間書店。

(48)　ヨハン・ホイジンガ著、前掲書、二一九頁。

3　平和の夢想

戦争への痛烈なる反省

人間の境涯というものは必ずしも安心と幸福に満たされてばかりではなく、往々にして不安に晒され不幸に襲われることがある。首尾よく成功に導かれても、辛酸を舐めて這いつくばって生きても、いずれは等しく死を迎えて、悲喜交々の人生劇場は終幕する。このように人間の一生は儚く切ないのだから、せめてお互いが譲り合って、慰め合って、助け合っていくべきではないのか。喜びも悲しみも分かち合い、共に笑い共に泣き、お互いの苦悩を和らげ、心を尽くして、感謝と慈愛をもって生きていきたい、そしてそれが許されるような社会であってほしい、このように願わない人間が果たしているのだろうか。残念ながら、人間は、そのようには願わないものらしい。ひとたび猜疑心に駆り立てられたら、お互いに不信感を強め、さらに誤解を重ねて、しまいには争い合い、果ては殺し合う。生き残るか、殺されるか、命の奪い合いである。戦争の惨禍は繰り返され、嘆きの悲鳴は掻き消され、平和を希求する切実な祈りは届かない。絶望と殺戮の上に生を刻んできた、これが人間の歴史である。

第二次世界大戦後、私たちは二度と蛮行を繰り返さないと不戦を誓った。痛烈なる反省と心からの謝罪をもって、国際社会への復帰を果たした。私たちは「恒久の平和」を念願する。私たちの「安全と生存」は、「平和を愛する諸国民の公正と信義」への信頼の上に成り立っている。それゆえに、「国権の発動たる戦争」「武力による威嚇」「武力の行使」は永遠に放棄され、戦力の不保持と交戦権の否認が宣明された。私たちは常に平和主義の決意を新たにしよう。筆者は学校教育の中でこのように教えられてきたし、二度と戦争を繰り返さないと誓う反戦平和教育は必要にして尊い試みであると思うが、その反面で、単なる条文を金科玉条のように奉じ唱えさえすれば平和がもたらされるという「念力主義」（小室直樹）には頼りなさを感じるし、複雑怪奇に入り組んだ国際情勢を理解し適切に対応するには素朴に過ぎるのではないかとの疑念を拭い去ることができない。日本の周辺には核兵器を保有している専制的な国々があり、それらは臆面もなく覇権主義を掲げて、武力をもって威嚇し続けており、とても公正と信義を認めることはできないし、実際に日本の「安全と生存」は日米同盟（日米安全保障条約）と国連中心主義の両輪からなる外交政策に委ねられている。あるいは日本にはJapan Self-Defense Forcesという重武装の防衛組織が存在しており、国外においてはJapanese military forceまたはJapanese armed forceとして認知されているのであるから、それは実質的に（憲法の規定に反して）国軍なのではないのか。戦後の占領下で混乱し、経済的な復興が優先された中で、この不整合（違憲状態）が見逃されたのはやむを得ないのかもしれないが、それから一体、何十年の歳月を重ねてきたのか。日本の平和主義には、あらゆる矛盾が織り込まれているのではないか。そして、それは日本人の思考を蝕んでいるのではないか。今や教条主義化した平和主義は世界の過酷な現実を直視せず情緒的に偏向し、歪んだ理想へと埋没していく危うさがあるのではないか。

ここで、筆者は中江兆民『三酔人経綸問答』（一八八七年）に登場する洋学紳士君（絶対平和主義者）と豪傑君（武断主義者）との対話を想起する。本書は近代日本の政治状況を鋭く衝いた著作であるが、現代日本にも通じる深刻な問題提起があると思われる。絶対平和を実現するためには非武装が不可欠である（軍拡競争は無益である[1]と主張する洋学紳士君に対して、武装を解除している間隙を縫って他国からの侵略行為を受けたらどうするのかと豪傑君は問う。洋学紳士君は以下のように答えるのであるが、これを現代の日本人は一笑に付すことができないだろうし、むしろ一部の進歩的な人々からは熱烈な支持を得るのかもしれない。

ぼくはそのような凶暴な国はけっしてないことを知っています。もし万が一そのような国があったとしても、われわれはそれぞれ自分で対処するだけです。願わくは、一ふりの剣も一発の弾丸もたずさえず、われわれはしずかにこう言いましょう。あなたがたに無礼をはたらいたことはない。幸い非難される理由もない。われわれはみなともに政治にたずさわり、争いも、いさかいもしなかった。あなたがたがやって来て、われわれの国を乱すことを望まない。一刻も早く立ち去って、国に帰りなさい、と。彼がなおもきかずに鉄砲をわれわれに向けるなら、ひるまずにこう言いましょう。きみたちは何たる無礼か、と。あとは、弾を受けて死ぬだけのこと。別に秘策もなしに[2]。

われわれ国民が、剣も手にせず一発の弾丸も持たずに敵軍の前に倒れるのを望むのは、全国民を生きた道徳の象徴として、後世の社会の模範とするためなのですよ[3]。

(1) 洋学紳士君の意見についてであるが、侵略行為を想定して自国の防衛力を整備し続ければ、軍拡競争をもたらすだけであり、それは極めて無益であるという主張は理解できる。しかしながら、「囚人のジレンマ」の教訓からも明らかなように、当事者間で軍事費の上限を設定することが有益であったとしても、合意に達することは実際ほとんどない。なぜならば、大きな損（軍事上の敗北）に対する恐怖が、小さな得（敗戦で失われるよりかは低く済む軍事予算）より勝っているからである。したがって、軍拡競争は最善ではないが最悪でもないため、継続されてしまうのである。
(2) 中江兆民著、鶴ヶ谷真一訳（二〇一四年）『三酔人経綸問答』光文社古典新訳文庫、七三頁。
(3) 前掲書、七五頁。

これは一見、非暴力主義による不服従を予感させるが、おそらくそうではない。超然とした「生きた道徳の象徴」や「後世の社会の模範」は方便に過ぎず、無抵抗のまま凶暴な侵略行為に屈して、集団の自滅を帰結するだけである。例えば、マハトマ・ガンジーの不服従運動には人間の尊厳に懸けた、圧政と抑圧に対する徹底的な反抗の意志があり、決して無抵抗ではなかった。教条主義的な平和主義によって不戦の誓いが歪められるようなことになれば（要するに破滅を願望する無抵抗であったり単なる無思考であったりすること）、それは巨悪の許容につながるのではないかと憂慮される。自尊と自立を放棄することが条件となって与えられる平和であるならば、それは奴隷的服従と言い換えられるべきであって、私たちが求めるところの真の平和とは異なっている。ここで、夢想的な平和主義が宥和政策に結び付いて大きな外交的失敗を招き（一九三八年のミュンヘン協定）、大惨事に至ってしまったイギリスの歴史が回顧される。前章で登場したオルテガは、第二次世界大戦が始まる二年前に「イギリス人のためのエピローグ」（一九三七年）を『大衆の反逆』のあとがきに寄せている。オルテガによれば、「平和を実際に作り出すための具体的かつ正確な実践の基本的な技術」が必要とされているのに、平和主義者は「無償で安楽な願望」のまま妄想に酔いしれ、本当の意味で「平和への意志」を持っているのか分からないと指摘されている。

たとえば平和は、民族間の関係上の形式としての法であり権利である。ところが通常の平和主義では、法はすでに存在するもの、また、人間の意のままになるものとされ、唯一、人間の情熱と暴力的本能だけが法を無視するものだとされる。もちろんそれはまったくもって真実とは反対である。(4)

ともあれ平和主義者は、自分が生きている世界は平和を組織するための主要な必要条件が欠けている、あるいはそれが非常に弱体化していると自覚する必要がある。ある民族と他の民族との付き合いにおいて、上位の審判に拠りどころを求めることはできない。なぜなら上位の審判などないからだ。諸民族がその中で浮遊していた社交性の雰囲気も、それらの間に好意をもたらす空気のように、円滑な交流を可能にしていた雰囲気も、雲散霧消してしまった。つまりばらばらとなり、互いに角を突き合わせている。[5]

オルテガの平和主義に対する批判は、今日においても妥当すると思う。筆者は学生時代に「平和の神学」を研究課題としたことがあり、[6]今もその問題関心は継続されている。ただ、教条主義化あるいは夢想化された平和主義の錯誤を等閑視し続けることはできず、その現実主義的な適応を真摯に模索したいと考えている。平和主義に対する批判的検討が好戦主義を意味するものでは全くないことは、改めて断るまでもないだろう。平和の理想と戦争の現実を見据えて、思考における平衡感覚を養うことが急務である。平穏無事の鼓腹撃壌は突然に破られると心得るべきだろう。特に、本章はロシアによるウクライナ侵攻という一九世紀を彷彿させるような悪夢の到来（現実化）に触発されて執筆された。筆者は、日本が義憤に駆られて――「見義不爲、無勇也」（『論語』「為政第二」）――ロシアに対する経済制裁に踏み切った時点で、この戦争に（武力行使を伴わないと

（4）　オルテガ著、佐々木孝訳（二〇二〇年）「イギリス人のためのエピローグ」『大衆の反逆』岩波文庫、三三八―三三九頁。
（5）　前掲書、三六〇頁。
（6）　筆者は第19回国際宗教学宗教史会議世界大会（二〇〇五年三月二九日、高輪プリンスホテル）で「正義の神学――ティリッヒの平和思想――」と題した研究発表を行ったことがある。その成果の一部は拙著（二〇一四年）「正義」『増補版　キリスト教思想断想』ナカニシヤ出版、一四九―一六三頁に取り入れられている。

いう意味では間接的に）加担していると考えているが、世間一般からはそのような当事者感覚や緊張感がほとんど感じられず（物価高への懸念くらいだろうか）、戸惑わずにはいられない。また、侵略されたウクライナと侵略したロシアを同列化して論じるような、もしくは（平然と「核の恫喝」を行っている）ロシアの「正義」を強弁するかのような言説にも違和感を覚える。さらに、侵略されたら国土を放棄して国外に逃亡し、侵略国の独裁者が世を去ったらまた帰還して一から国を再建すればよい、今は逃げ延びてただ生きることに努めよという意見にも（これは生命尊重主義の亜流ではないか）、容易には首肯できない。それらは悪い意味で超然としていて、非常に不気味に映る。いずれにせよ、私たちは様々な意味で覚悟を持たなければ、自分たちの「安全と生存」を保つことはできないと認識すべきである。まさに戦争への痛烈なる反省の結果として、世界平和と自国防衛に対する十分な備えに考えを巡らせることが肝要なのではないのか――「人無遠慮、必有近憂」（『論語』「衛霊公第十五」）――。

本章ではヨーロッパ思想史を参照しながら、戦争と平和の問題について考察を進めていきたい。取り上げる論者たちの思索は、各々が置かれた時代状況に制約されているため、簡単には現代的意義を引き出せないかもしれないが、平和を希求する熱心な意図は時代を超えて共通しており、歴史的教訓を学ぶことはできるはずである。

絶対平和主義の理想

いわゆる絶対平和主義――絶対非戦論という意味での平和主義――の嚆矢は、『痴愚神礼讃』（一五一一年）の著者としても名高い人文主義者デシデリウス・エラスムスの『平和の訴え』（一五一七年）であると言えよう。

エラスムスの生きた一六世紀初頭のヨーロッパでは、例えばフランスのヴァロア家とオーストリアのハプスブルク家の対立に顕著な王位継承に絡んだ権力闘争、あるいはカンブレー同盟戦争（一五〇八－一六年）のようなイタリア半島における権益拡大を狙った多国間の紛争など、民衆を巻き込んで犠牲を出した争乱が頻発していた。諸国を遍歴していたエラスムスは、争乱がもたらす暴力や流血の惨事を目の当たりにして、その原因を為政者の傲慢や欺瞞に帰し、いかなる戦争も認めない絶対非戦論の論陣を張った。[7]その端緒は「戦争は体験しない者にこそ快し」（一五一五年）に求められる。

平和はだれかれを問わずゆきわたり、あまねくその恵みをもたらすものである。これに反して、戦争の渦中に何ら見出だせる道理のありようとてないが、仮にもし何か恵みなり幸福なりが生じるものだとすれば、それはごく限られた少数の不逞の徒輩をしか利さないのではあるまいか。[8]

平和は、人間のあらゆる企てのうち、最も尊くまた心地よく、反対に戦争は、最も嘆かわしくまた忌まわしいのである。だから、平和の実現のためには一切の労を惜しむくせに、戦争と聞いたら万難をも排して邁進するような者なぞ、私には正気を逸しているとしか考えられないのであるが、いかがなものであろうか。[9]

（7）興味深いことに、同時代には、親交の深かったトマス・モアの『ユートピア』や、エラスムスの論調とは対極的なニッコロ・マキャヴェッリの『君主論』が執筆されていた。この三者の比較研究は他日に期したい。
（8）エラスムス著、月村辰雄訳（一九八四年）「戦争は体験しない者にこそ快し」、二宮敬『エラスムス』（人類の知的遺産23）所収、講談社、三一三頁。
（9）前掲書、三一四頁。

多大な犠牲の上に獲得された利権も、享受できるのは「ごく限られた少数の不逞の徒輩」、つまり一部の権力階級のみであり、民衆の幸福に資することはない。しかも、統治の任に当たる者は「キリスト教君主」を僭称しており、また戦争の抑止に努めるどころか率先して加担している聖職者の実態（例えばローマ教皇ユリウス2世の軍事的指導者としての側面）[10]がある。そのため、エラスムスの戦争批判は指導者批判に直結することになる。[11]また、彼は平和の利得を費用対効果の観点から論じており、戦争における経済効率は全く見込めないと断じている。

いったい戦争には、またそれと反対に平和には、どれほどの費えが必要となるのであろうか。すべての事情を考慮に入れ、これを厳密に商量すれば、戦争に要する十分の一の面倒と苦痛と恐怖と危険と出費と流血とで、たやすく平和は達成されてしまう、という結論が得られるに違いない。ひとつの堅城を抜くために、大勢の人間を危地におもむかしめる。だが、それだけの労を払うのであれば、けっして危険な目に遭うこともなく、はるかに立派な城館をひとつ建てられるのだ。敵に損害を与えたいのだと強弁する。だが、その考え自体がすでに非人間的なのだ。自分の兵士を損うことなく、敵を損うことができるものかどうか、まず考えていただきたい。勝利を得ることが不確実であるというのに、確実に蒙るとわかっている不幸の方を選ぶなど、私には狂気の沙汰としか思われないのである。[12]

（10）　Cf. Christine Shaw (1997), *Julius II: The Warrior Pope*, Wiley-Blackwell.

（11）　この問題は人類の宿痾と言えるかもしれない。例えば、アルバート・アインシュタインはフロイトへの書簡の中で、次のように嘆いている。「なぜ少数の人たちがおびただしい数の国民を動かし、彼らを自分たちの欲望の道具にすることができるのか？　戦争が起きれば一般の国民は苦しむだけなのに、なぜ彼らは少数の人間の欲望に手を貸すような真似をするのか？」（アルバート・アインシュタイン、ジグムント・フロイト共著、浅見昇吾訳（二〇一六年）『ひとはなぜ戦争をするのか』講談社学術文庫、一四頁）。

戦争を「狂気の沙汰」と結び付けた議論は『痴愚神礼讃』から一貫している[13]。さらに、エラスムスは戦争の回避のために「キリスト教君主」教育の必要性を説いている。つまり、君主の在り方が平和の実現に直結すると考え、そのキリスト教的理念の復興を求めたのである（キリスト教的ユマニスムによるヨーロッパ社会の回復という、エラスムスの人文主義者としての面目躍如と言ったところか）。一六一六年にブルゴーニュ公シャルルの名誉参議官に任命されたエラスムスは、その若き君主への教育的意図も込めて、これまでの論点を集約した平和論を手がけるが、それが『平和の訴え』に他ならない。

およそいかなる平和も、たとえそれがどんなに正しくないものであろうと、最も正しいとされる戦争よりは良いものなのです[14]。

ありとあらゆるものの中でも最も危険なものである戦争は、全国民の承認がないかぎり、断じて企ててはなりません。戦争の諸原因が少しでも現われたら、即刻とり除くべきですし、そのためには、事がらによっては敢て目をつぶらなければならないこともあるのです。親愛なる態度は親愛な態度を招来するものですから。また、場合によっては平和を買う覚悟も必要です。戦争がどれほど莫大な費用を食うものであるか、また、平和を選ぶことによりどんなに多くの市民が破滅から救われるかを計算してみれば、たとえいくら高い代価を払っても、平和を買ったほうが安くつくように思われるでしょう。あなたの市民たちが

(12) エラスムス著（一九八四年）、前掲書、三一五頁。
(13) エラスムス著、沓掛良彦訳（二〇一四年）『痴愚神礼讃　ラテン語原典訳』中公文庫、一八一―一八三頁を参照されたい。
(14) エラスムス著、箕輪三郎訳（二〇〇〇年）『平和の訴え』岩波文庫、六六―六七頁。

流す血は別としても、戦争のために費される額はこれよりはるかに多かったはずです。避けられた不幸や、安全だった財貨をとくと秤り、考えてごらんになれば、平和の買値がいくらであっても悔いることはないでしょう。(15)

要するに、平和というものは多くの場合、われわれが心からそれを望んではじめて本物となるもの。真に心から平和を望むものは、あらゆる平和の機会を摑まえ、平和の障害となっているものをあるいは無視し、あるいは取り除き、さらに、平和という大きな善を害わないように、耐えがたいことのかずかずを耐え忍ぶものですよ。(16)

エラスムスは戦争にいかなる正当性も認めないし、それが回避できるならばある種の政治的妥協も許されるし、ある程度の不当性にも耐えていく必要があると考え、何よりも不戦の意志を徹底している。しかし、実際のところ「平和を買う」という算段はどのようにして成り立つのか、具体的に読み取ることはできないし、そもそも平和の障害となっているものを外交交渉で取り除くことができなかったから戦争が解決のための手段とされてきたという事実認識に対して多少の甘さがあるのではないかと思う。もっともエラスムスの時代には、一人の君主が異なった言語、文化、慣習を持つ全く別の国々を支配することにより、諸侯の間で利害が錯綜し、王位継承（それに絡む政略結婚）はその都度、火種となり、戦闘に発展した事例が多数あったことから、打算

(15)　前掲書、七三-七四頁。
(16)　前掲書、七六-七七頁。

や駆け引きによってでも戦争を引き起こさない工夫をすることが得策であると考えられたことは理解できる。以下の引用は君主に宛てた平和の訴えである。

大多数の一般民衆は、戦争を憎み、平和を悲願しています。ただ、民衆の不幸の上に呪われた栄耀栄華を貪るほんの僅かな連中だけが戦争を望んでいるにすぎません。こういう一握りの邪悪なご連中のほうが、善良な全体の意志よりも優位を占めてしまうということが、果たして正当なものかどうか、皆さん自身でとくと判断していただきたいもの。昔から今にいたるまで、条約によって確立されたものは何もなく、縁組みによっても何一つ促進されず、武力によっても復讐によっても、遂に何事もできはしなかったことがおわかりでしょう。そこで今こそ、危険にたいする保障として、和解的な精神とか、善意とかを造り出していただきたいのです。戦争は戦争を生み、復讐は復讐を招き寄せます。ところが、好意は好意を生み、善行は善行を招くものなのです。このようにして、自分の権力を放棄すればするほど、その人は一そう王者らしい王者と思われることになるのですよ。(17)

エラスムスの絶対平和主義は同時代の宗教改革の荒波の中で十分に影響力を発揮させることができなかったと考えられるが、その高邁な思想は時代を超えて受け継がれたと言える。一例として、教皇ヨハネ23世によって発布された回勅「パーチェム・イン・テリス（地上の平和）」（一九六三年四月一一日）を取り上げることができる。ヨハネ23世は第二次世界大戦後の東西冷戦構造において軍拡競争に向かっていく両陣営に対して和解

(17)　前掲書、九六‐九七頁。

するように求め、カトリック教会の反共姿勢にもかかわらず共産主義圏の指導者との対話を模索してきたことでも知られる。一九六二年のキューバ危機で世界は核戦争の瀬戸際に立たされたが、アメリカのジョン・F・ケネディ大統領とソ連のニキータ・フルシチョフ第一書記の間を取り持ったヨハネ23世の仲介も奏功し、最悪の衝突は回避された。こうした時代状況の中で、人類を軍事的脅威から解放し真の平和へ導くために、また外交努力は実際に実を結ぶという確信をもって、回勅「パーチェム・イン・テリス」が発表されることになる。回勅では、平和を達成するロードマップが次のように示されている。

正義、英知、そして人間の尊厳の尊重のためには、軍備競争に終止符が打たれること、既成の軍備が同時かつ平衡的に縮小されること、核兵器が禁止されること、そして最後に、有効な監視を伴っての軍備全廃達成が切実に要求されます。[18]

すべての人が理解しなければならないのは、軍備縮小の過程が、人間の心にまで及ぶ徹底した完全なるものでなければ、軍事力増強の停止、軍備の削減、さらに——これはもっとも重要です——その全廃は実現しません。人々の心の中から戦争勃発の予感に対する恐れと不安を払拭するために、すべての人は心から協力し、努力しなければなりません。軍備の均衡が平和の条件であるという理解を、真の平和は相互の信頼の上にしか構築できないという原則に置き換える必要があります。わたしは、これが到達可能な目標であることを主張します。なぜなら、これは、理性が命じるだけでなく、このうえなく望ましく、最大の

(18)　教皇ヨハネ23世著、マイケル・シーゲル訳（二〇一三年）『回勅　パーチェム・イン・テリス——地上の平和——』カトリック中央協議会、六五-六六頁。

効用をもたらすものでもあるからです[19]。

軍事力の均衡が平和を保障するという公理こそ、各国の武装解除を阻害している要因であり、軍拡競争を是認する原因になっていると、回勅の趣旨をまとめることができよう。軍事力があれば、いつどこで偶発的な衝突があるか分からないし、それをきっかけにして大規模な戦争が起こらないとも限らない。全ての人々がお互いに信頼して、心から反戦平和を求めるべきである。こうした絶対平和主義の理想は理解できるが、人間の歴史において国家間に十全な相互信頼が得られたこともなければ、平衡的に軍事力が削減されたこともなく、有効に監視する手立てなど一度も存在しなかったのだから、果てしない夢のような到達目標ではあっても、現実の脅威に対応する即効性のない議論としか言いようがない。私たちは理想の価値を信じつつも平和主義の夢想に留まってはおれず（実効性が見出せないから）、さらに戦争の本質について掘り下げて考えていきたい。そこで扱いたいのがヨーロッパ思想史における正戦論の系譜である。

正戦論の系譜

語源的には平和 peace とは平定 pax であった。Pax Romana はローマの平和と訳されるが、その実態はローマの平定に他ならない。つまり、それはローマ帝国の圧倒的な軍事力によって諸国が（不本意であろうが）平定されている状態である。平和に積極的な安楽さを求めることはできず、戦争にならないような軍事的抑制が

(19) 前掲書、六六–六七頁。

効いている状態と解さざるを得ない。

古来より、戦争は政治的共同体の間に生じた紛争を解決する手段であり、違法行為に対して行われる戦争には正当性が認められていた。例えば、共和政ローマ末期の哲学者キケロは、事前の宣告と通告（宣戦布告）を必要とした上で、復讐と敵の撃退は戦争を行う正当な理由になると主張している。また、賠償を請求するために戦ったり、掠奪されたものを武力で取り戻したりすることも正当化された。こうした議論はキリスト教の神学者であるアウグスティヌスやトマス・アクィナスを経て正戦論（正当戦争論）として整備されていく。

初期のキリスト教は「敵を愛し、迫害する者のために祈りなさい」（マタイによる福音書5章44節[20]）というイエス・キリストの教説に依拠した平和主義[21]を掲げていたが、ヘレニズム世界（古代地中海周辺）へと宣教が拡大し、ローマ帝国においても多数の信徒を獲得するようになると、現実的な課題に直面せざるを得なくなった。すなわち、キリスト教徒の兵役の問題である。隣人愛の実践と戦争への参加という理想と現実の相剋に苛まれる中で、キリスト教の指導者たち、例えばオリゲネス、テルトゥリアヌス、ラクタンティウスらは信徒の兵役そのものを禁止するという判断を示した。しかし、三九二年以降、ローマ皇帝テオドシウス1世によりキリスト教はローマ帝国の国教として位置付けられるようになると、キリスト教徒は社会を構成する一員として責任を果たさねばならなくなり、戦争（暴力行為）の是非に関して新しい解釈を行わねばならなくなった。

そこで「正戦」（justum bellum）という概念を用いて、正戦論の原型を作ったのがアウグスティヌスだった。

（20）　聖書からの引用は、日本聖書協会『聖書　聖書協会共同訳』に拠っている。
（21）　この点について詳しくは、R・H・ベイントン著、中村妙子訳（一九六三年）『戦争・平和・キリスト者』新教出版社、木寺廉太（二〇〇四年）『古代キリスト教と平和主義――教父たちの戦争・軍隊・平和観――』立教大学出版会を参照されたい。

彼は『マニ教徒ファウストゥス駁論』[22]で、他人に屈従してまで生き延びることは臆病なだけで決して平和とは言えず、暴力、残酷な復讐、野蛮な反抗、支配欲などの戦争の悪を罰するためならば、善良な人であっても戦ってよいと主張する。敵の侵略から無力な民衆を防衛するための戦いも正しいと認められる。正当な支配者が認め、正当な理由があり、安寧秩序の形成に寄与するならば、戦争も辞さない（武力行使を容認する）という考え方は、一切の暴力行為を否定するキリスト教においては画期的な発想の転換と言えるが、あくまでも平和を目指す上でやむを得ない場合に限るという苦渋の判断であることに留意しておきたい。そのことに関して『神の国』（第19巻第7章）から引用し補足しておく。

平和はいかに多くの、かついかに重大な戦争によって、またどれほど多くの人間の殺戮とどれほど多くの人間の流血によってもたらされたことであろうか。それらの出来事は過ぎ去ったけれども、その禍いの悲惨は終わっていない。[23]

しかし人々は、知者は正しい戦争をなすだろうと言う。もし知者が自分は人間であることを思い起こすならばなおさらのこと、正しい戦争の必要性が生じるのを嘆きはしないかのようにである。けだし、もしも戦争が正しくないならば、それをなしてはならないし、そこで知者にとっては、いかなる正しからざる戦争も起こらないであろう。知者に正しい戦争をなすことを余儀なくするのは、敵対する側の不正義で

(22) アウグスティヌス著、岡野昌雄訳（一九七九年）『アウグスティヌス著作集7　マニ教駁論集』教文館を参照。
(23) アウグスティヌス著、泉治典他訳（二〇一四年）『神の国』（下）教文館、三四二頁。

ある。(24)

こうした「正戦」という考え方は一二世紀の『グラティアヌス教令集』を経て中世教会法上の概念として定着するが、さらに精緻な議論を行ったのがトマス・アクィナスであり、その成果は『神学大全』「戦争について」(第Ⅱ-2部　第40問題第1項)(25)において示されている。トマスはアウグスティヌスの著作(『マニ教ファウストゥス駁論』、『主の御言葉について』、『モーセ七書問題集』など)を引照しつつ、戦争の正当性を次のように説明する。

ある戦争が正しいもの iustum であるためには、三つのことが必要となる。第一は、そのひとの命令によって戦争が遂行されるところの、君主の権威がそれである。というのも、戦争を引き起こすことは、私人 persona privata に属する仕事ではないからである。なぜなら、私人が彼の職権を行使するを得るのは、その上位にある者の判断に従ってのことだからである。……アウグスティヌスが『ファウストゥス駁論』で、『死すべき者達の平和に適った自然的な秩序は、戦争を行なう際の全権と決定は君主に属することを要求する。』といっているのもこのゆえにである。(26)

第二には、正当な原因が必要とされる。たとえば、攻撃されている人達が、何らかの罪のために攻撃を

(24) 前掲書、三四二頁。
(25) トマス・アクィナス著、大鹿一正・大森正樹・小澤孝共訳(一九九七年)『神学大全17』創文社、七八-八三頁。
(26) 前掲書、八〇-八一頁。

受けるに値するような場合である。だからして、アウグスティヌスは『問題集』において、『正しい戦争とは不正を罰するところのものと定義されるのが普通である。すなわち、民族や国が、その成員によって不正になされたことを糺すのを怠ったり、不正によって横領したものを返却するのを怠ったりして罰せられるべきである時に、その不正を罰するのである。』と述べている。[27]

第三に、戦争する人達の意図が正しいことが要求される。すなわち、善を助長するとか、悪を避けるとかいうことが意図されていなくてはならない。このゆえに、アウグスティヌスは、『主の御言葉について』のなかで、『真に神を崇拝する者達の許では、戦争さえも平和的であって、欲望や残酷さによらず、悪を抑え、善を支えるように、熱心に平和を求めて遂行される。』といっている。[28]

トマスによれば、戦争の正当事由として、開戦の命令を下す君主の権威、正義に適った正当な原因・理由（復讐されても仕方がないような明らかな不正の存在）、勧善懲悪といった交戦者の正しい意図が挙げられている。神は正当事由を有する側に加護すると言われることがあるが、その意味は、正義は正当事由によって基礎付けられるのであり、いわゆる勝てば官軍負ければ賊軍のような価値判断とは一線を画すことにあったと解釈できる。

しかしながら、この理論を実際に運用させることは容易ではなく、特に一六世紀の宗教改革以降になるとカ

(27)　前掲書、八一頁。
(28)　前掲書、八一頁。

トリック側とプロテスタント側の主張は神学的に拮抗して、双方にとっての抗戦の意図が正当化されることになってしまう。サラマンカ学派の始祖であった神学者・法学者のフランシスコ・デ・ビトリアは、スペインの植民地支配によって虐げられたインディオの人間としての権利を擁護したことで知られているが、国際法学の古典と評価されている「戦争の法について」[29]（一五三九年）という特別講義の中で、次のような議論を行っている。戦争の当事者同士が自らの正当性を主張して憚らないのが現実である。そのような場合には、法律上の無知や事実の誤認によって間違って導き出された原因を正当事由と見なすことはあり得ると考える。つまり、やむを得ざる不知の場合に限って、悪しき原因に基づいた戦争であっても正当化されるということである。

以上のような議論を踏まえて、自然法学者フーゴー・グロティウスは正戦論を近代国際法として体系的に論じ、『戦争と平和の法に関する三巻——自然法、諸国民の法、それに公法の諸原則に関する説明——』（一六二五年）を刊行する。彼の時代背景にはユグノー戦争（一五六二-九八年）、八十年戦争（一五六六-一六四八年）、三十年戦争（一六一八-四八年）といったキリスト教の教派間対立に起因する戦争があり、その凄惨な現状認識から考察が行われる。しかし、グロティウスはエラスムスに敬意を払いつつも、彼のように戦争を全面的に否定する絶対非戦論の立場から離れて、法による戦争の規制について綿密な議論を展開している（戦争の合法化）。

戦争とは「力により争う者の状態」であり、その正当事由は自然法上の正当性と見なされ、単純に非難されるものではない（むしろ正義に適っている）。例えば、自分の生命を守るための戦争について、その権利は加害

（29）　正式名は『インディオについての、または野蛮人に対するイスパニア人の戦争の法についての第二の特別講義』である。上智大学中世思想研究所編、田口啓子編訳監修（二〇〇〇年）『中世思想原典集成20　近世のスコラ学』平凡社に所収されているので参照されたい。

者の罪悪や不正に由来するのではなく、自然が各人に命じることから発生すると考える。グロティウスは、戦争の発生を抑制するための「戦争への正義」（jus ad bellum）と、発生した戦争を規制するための「戦争における正義」（jus in bello）を分類し、前者で平時国際法、後者で戦時国際法（交戦法規）を扱う。自然法に従えば、戦争において何がどこまで許容されるのか、それを明確化することによって、戦争に伴う残虐さや放縦さを可能な限り軽減または抑制する意図がある。つまり、戦争を遂行するに当たっても守るべきルールがあるということを理論化しているのである（補足すれば、不正と認定された相手に対してならば何をやってもよいということにはならない）。

グロティウスによれば、戦争の正当事由は（未だ完了していない侵害に対する）「防衛」（defensio）および（既になされてしまった侵害に対する）「ものの回復」（recuperatio rerum）と「刑罰」（punitio）に限る。具体的には、自然法に従って、生命、身体、財産に対する侵害には防衛することができ、奪われた所有権や支配権は取り戻すことができ、違法な犯罪行為に対しては刑罰という報いが与えられ、その手段としての戦闘行為は許される。すなわち、正当事由が網羅的に列挙されるならば、法＝権利の追求として戦争を行うことができる。重要なことは正当事由を網羅するという点にあり、その過程で全ての問題を炙り出し、解決の糸口を探ることで、戦争への発展を回避できるのではないかという期待が込められている。

これまで述べてきたような正当な戦争という発想自体が、現代の日本人においては忌避されることだろう。戦争は尊い人命を奪い、人生の希望を砕き、人間の尊厳を否定するのであって、正当という形容には到底堪えられるものではない。それは全く正論である。しかし、グロティウスは一定の条件下において戦争を規定することから始めなければならなかったのである。それほどに戦争の歴史は混迷の度合いを深めてきたのであり、収拾がつかなかったと捉えるべきだろう。[30] その意味において正戦論は好戦主義とは無縁であり、平和（正義）を実現するための試行錯誤であると言える。ところが、自然法に依拠した正戦論は近代国際法の法的枠組みの中で継承されてはいくのであるが、その後の国家観の変貌によって議論としては瓦解してしまう。それはなぜなのか。

その理由を説明するために、ウェストファリア条約（一六四八年）に言及しなければならない。この条約は三十年戦争の講和条約として締結され、カトリックとプロテスタントの同権が認められることにより、長きにわたる教派間の対立と混乱は収拾された。また、ローマ教皇や神聖ローマ皇帝のような普遍的権威によるヨーロッパの統一は断念され、一つの国民、一つの国家を理念とした国民国家が誕生し、各国が等しく主権を主張した。この背景には、封建領主の権限が国王のもとに集約されていく中央集権国家への移行過程があり、やがてそれは官僚組織に支えられ常備軍を整えた絶対王政への道を開くことになる。新たなヨーロッパ社会の秩序が形成されていく中で、主権国家間の争いを法律的に（合理的に）解決するために国際法はより重視されるが、戦争に関しては主権国家の権限（独立性）に結び付けられたため、当事国は法的に平等に扱われることになり、戦争の合法性や違法性を問うこと自体が無意味になってくる。

（30）　戦争の問題は深く文明論的な課題である。そのことに関して、カイヨワの見解を紹介しておきたい。「戦争は文明とは逆のものだともいわれるが、道徳的見地あるいはその語源からいうのでなければ、これも正確ないい方ではない。戦争は、影のように文明につきまとい、文明と共に成長する。多くの人びとがいうように、戦争は文明そのものであり、戦争が何らかの形で文明を生むのだというのも、これまた真実ではない。文明は平和の産物であるからだ。とはいえ、戦争は文明を表出している。実のところ戦争は、社会のある一つの在り方以外の何物でもない」（ロジェ・カイヨワ著、秋枝茂夫訳（一九七四年）『戦争論――われわれの内にひそむ女神ベローナ――』（りぶらりあ選書）法政大学出版局、八‐九頁）。戦争擁護論（ルネ・カントン、エルンスト・ユンガー）の検討、戦争と「聖なるもの」の関係、「内的体験」（ジョルジュ・バタイユ）としての戦争論など、戦争をめぐるカイヨワの人類学的、社会学的考察は興味深いものであるが、紙幅の都合上、稿を改めて論じたい。

一八世紀のスイスの国際法学者エメル・ド・ヴァッテルは『国際法』（一七五八年）において、戦争は紛争の解決および国家目的の実現のための手段であること、それは主権国家の権利であることを明確に論じている。戦争の当事国は戦時国際法を遵守すればよいのであって、戦争事由の正・不正は区別されなくなる。要するに、戦争という手段に訴える際の合法性（戦争の開始手続き）は問題にならなくなったのである。こうして、当事国の立場を対等なものと考える無差別戦争観が正戦論に取って代わることになる（言うまでもなく、それは無差別に他国を侵略できるという意味では全くない）。

永遠平和の構想とその挫折

このようにしてヨーロッパ諸国は自国の権益と領土の拡張を求めて、戦争を手段化し、より大規模な破壊を繰り広げることになる。基礎的な法秩序の積み重ねという努力は、戦争の抑止と平和の実現になかなか直結しないことがよく分かる。一八世紀の戦争は、諸国が合従連衡を繰り返しながら、それぞれの利害が複雑に絡み合う国際戦争を主流とし、王位継承戦争や植民地獲得競争は熾烈を極めていく。停戦をもたらすべく条約が結ばれても、勢力の均衡を一時的に図るためのものに過ぎず、平和を長く維持することなどできない。そういう背景から、哲学者イマヌエル・カントは恒常的な平和を実現する方法を『永遠の平和のために』（一七九五年）において構想した。それには同年にフランスとプロイセンの間で締結されたバーゼル平和条約の不備に対する問題提起も含まれている。

カントの議論は透徹した現実認識の上に成り立っている。彼によれば、利害関係や敵意といった特別な理由がなくても戦争は起こるものであり、戦争すること自体が人間の本性であると言い切っている。例えば、「人間には戦争好きという性質がある」[31]とか「人間の本性は邪悪である」[32]と明確に指摘している。したがって、自然状態は戦争状態であるという認識から平和構想の議論を始めるのである。

隣人どうし平和に暮らしているのは、自然状態（status naturalis）ではない。自然状態とは、むしろ戦争の状態である。つまり、敵対行為がつねにあるわけではないが、敵対行為の脅威がつねにある状態のことである。だから平和な状態はもたらされるしかないものだ。敵対行為がないということは、平和な状態を保障するものではない。その保障は隣人が他の隣人にするものだが（それが可能なのは、法が生きている状態においてだけだが）、その保障がない場合、隣人は、その保障を要求した相手である他の隣人を、敵として扱う可能性がある[33]。

もちろん、自然状態であっても、暴力や戦争が起こらない場合もあるが、それは偶然に過ぎず、恒久性を担保することはできない。社会は初めから平和な状態ではないのであって、したがってそのような状態が自然に成り立っていくわけでもなく、人間が積極的に努力してもたらすものなのである。その具体策として、カントは国家間に永遠の平和をもたらすための予備条項を六項目示している。

①「将来の戦争の種をひそかに留保して結んだ平和条約は、平和条約とみなすべきではない」[34]。平和条約にお

（31）イマヌエル・カント著、丘沢静也訳（二〇二二年）『永遠の平和のために』講談社学術文庫、一七頁。
（32）前掲書、三八頁。
（33）前掲書、二五頁。
（34）前掲書、一三頁。

いては、将来に予見される戦争の要因を取り除いておかなければならず、名目上の停戦を合意しただけであれば、敵対行為は継続されてしまう。

②「独立している国は（国の大小に関係なく）、相続・交換・売買・贈与によって別の国に取得されてはならない[35]」。カントの念頭にあるのは分割統治の弊害であると思われる。当時、彼の祖国プロイセンはロシアやオーストリアとともにポーランドを分割し支配しており、そのことに対する批判も示唆されている。国家は人々の社会であって、誰かの所有物でも財産でもなく、道徳的な人格として見なされるべきである。

③「常備軍（miles perpetuus）は、いずれ全廃するべきである[36]」。常備軍は絶対王政のもとで整備された傭兵と理解することができる。常備軍は文字通り常に出撃態勢を整えており、他国を戦争の脅威に晒し、軍拡競争の要因になっている。また、「殺したり殺されたりするためにお金で雇われるということは、人間を他者の（つまり国の）手でたんなる機械とか道具として使うという意味も含んでいるように思えるが、そのような使い方は、人格をそなえた人間であるという権利と相容れないだろう[37]」と指摘し、人間存在の客体化を厳に戒めているあたり、カント倫理学の真骨頂と言えるのではないか。すなわち、『道徳形而上学の基礎づけ』で示された「君は、みずからの人格と他のすべての人格のうちに存在する人間性を、いつでも、同時に目的として使用しなければならず、いかなる場合にもたんに手段として使用してはならない[38]」という定言命法第二定式を想起

(35) 前掲書、一四頁。
(36) 前掲書、一五頁。
(37) 前掲書、一六頁。
(38) イマヌエル・カント著、中山元訳（二〇一二年）『道徳形而上学の基礎づけ』光文社古典新訳文庫、一三六頁。引用に際して、本文を強調する傍点を省略したことを明記しておく。

せずにはおれない。このように常備軍の廃止が主張されているが、ここに完全な非武装を読み込むのは早計である。なぜならば、戦略守勢のための国防軍の放棄は謳われていないからである。「けれども国民が自分の意思で期間限定で武器をもって訓練して、自分と祖国を外からの攻撃から守るというのは、まったく別の話である」[39]。

④「対外紛争のために国債を発行するべきではない」[40]。端的に言えば、軍事国債の禁止である。国内外から資金を調達することによって、戦争の遂行と継続を容易にすることは、平和の実現には大きな障害となる。

⑤「どのような国も、他国の体制や統治に暴力で干渉するべきではない」[41]。国家の自律を危うくするので、暴力による内政干渉は禁止されるべきである。

⑥「どのような国も、他国との戦争では、将来の平時においてお互いの信頼を不可能にしてしまうような敵対行為をするべきではない」[42]。具体的には暗殺者や毒殺者を使ったり、降伏条約を破棄したり、敵国で内乱を画策したりなど、卑劣な敵対行為は禁止されなければならない。

カントによれば、国家間の関係が自然状態のままであれば戦争を回避することはできないので、共通の法的秩序を創出し、それに従うよう国家間が契約を結び、相互保障のもとに平和状態をもたらすことが求められる。そこで、国家間に永遠の平和をもたらすための確定条項が三項目示される。

(39)　イマヌエル・カント著（二〇二二年）、前掲書、一六頁。
(40)　前掲書、一六頁。
(41)　前掲書、一八頁。
(42)　前掲書、一九頁。

①「どの国でも市民の体制は共和的であるべきだ[43]」。カントの言う共和制とは、社会の構成員が自由であるという原理（人間として）、共通の立法に従属しているという原則（臣民として）、平等であるという法（国民として）の三要件によって設立された体制である。ここで言う自由とは自分が同意した法にのみ従うことのできる自由であり、平等とは例外なく全ての人が法に従わねばならない平等を意味する。戦争をするべきかどうか、共和制においてそれを決定するのは国民の同意である。戦争がもたらす苦難や負債を想定すると、開戦の決断には極めて慎重にならざるを得なくなる。

②「国際法は、自由な国と国の連邦主義〔フェデラリズム〕を土台にすべきである[44]」。対等な国家間に上下の関係はないので、全ての国は相互保障のもとに連盟を構成することによって、平和状態を創出する。カントはそれを「平和連盟」（foedus pacificum）と呼んでいる。「平和連盟は、なにがしかの国家権力を手に入れようとするのではない。ただただ、国の自由を維持し保障することだけをめざすのである。国の自由とは、自国の自由であると同時に、連盟した他の国々の自由でもある[45]」。カントは世界統一政府（一つの世界共和国）のような上位の権威による支配を肯定的に捉えていない。そのような一つの集団的意思決定は専制的になる恐れがあるし、そもそも多様な言語や価値観を一元化することはできない。諸民族が各々の国を持っていること、諸国が並存している中での平和状態が模索されるということ、その前提を崩してしまっては本末転倒である。したがって、国際法の概念は「自由な連邦主義」に結び付けられる。

(43)　前掲書、二七頁。
(44)　前掲書、三六頁。
(45)　前掲書、四〇頁。

③「世界市民の権利は、誰に対してももてなしの心をもつという条件に限定されるべきだ」[46]。他人の土地を訪れる「よそ者」は（その場で本人が平和に過ごしている限り）敵意をもって扱われてはならず、歓待される「権利」を有している。これは全ての人間に認められる権利であり、訪問と交流を重ねて平和な関係を構築し、「世界市民」への道を開くことができる（この主張の背景にあるのはヨーロッパの苛烈な植民地支配に対するカントの批判であり、訪問時に示される不正が糾弾されている）。

カントの平和構想は徹頭徹尾、法が支配する国際社会の枠組みに基づいている。諸国家が共通の法に従っている「公法の状態」にあることが平和状態につながる。そのために諸国家は個人の自由と平等の保障の上に全ての人が共通の法に従う共和制を実現していることが前提となる。平和の実現に博愛的な人間愛など必要がなく、人間の心の状態は関係がないと明らかにした点は、まさにカントの慧眼と言える。しかしながら、その後の歴史を見渡すと、国家は共和制の選択というところから躓いており、国際社会において相互保障の信頼関係も生まれず、「公法の状態」には至っていない。筆者には「平和連盟」がカントの言う「目的の王国」（Reich der Zwecke）に重なってしまう。それは理性によって実現されるべき到達目標であるに違いないが、永遠の課題に留まり続けるのではないかと感じてしまうのである[47]。カントの理性的な構想が明示されたにもかかわらず、

（46）前掲書、四四頁。
（47）この点について、アメリカの神学者ラインホールド・ニーバーの指摘が示唆的である。「世界共同体を建設する事業は、人間の究極の必要性であり、また、可能性であるが、それはまた、究極の不可能性でもある。それが必要性であり、可能性である理由は、歴史は、人間の自由を、自然的過程を超えて、普遍性が達せられるところにまで拡大する過程だからである。それが不可能性である理由は、人間の自由は増大するにもかかわらず、人間は、時間と空間とに結びつけられており、特殊的で時間の限定を受けた場所に基盤を持たないところの文化や文明の構想を樹立することの出来ない有限的な被造物だからである。このように、人間生命の究極の可能性にして不可能性として立つところの世界共同体は、現実には、人間の希望を絶えず成就してゆくものであると同様に、永遠の課題でもある」（ラインホールド・ニーバー著、武田清子訳（二〇一七年）『新版　光の子と闇の子――↙

世界はまさに非理性的な様相を呈していく。

産業革命以降、戦争は新次元を開く。例えば、技術革新によって兵器の殺傷力が向上した。兵器は産業システムによって大量生産され、流通されていくようになった。フランスの人類学者、社会学者ロジェ・カイヨワ『戦争論』（一九六三年）によれば、「技術の進歩、政治構造の変化、中央集権制の強化、こういった要素が戦争の諸条件を、ますます大きく覆していった[48]」と指摘され、「全体戦争」の様相を呈するようになる。国家によって派兵される戦闘員数は動員可能な成年男子数に接近し、使用される軍需品の物量は交戦国の工業力の最大生産量に匹敵する。国力の全てが注がれる国家による戦争の「全体化」が、第一次世界大戦を招来したのであった。

第一次世界大戦という世界規模の惨禍を代償にした（そしてカントの構想を反映した）一九二〇年の国際連盟の設立、および国際連盟規約と連結した一九二八年の不戦条約（ケロッグ・ブリアン条約）の締結により、侵略目的の戦争は禁止され（無差別戦争観の否定）、集団安全保障体制が形成され、紛争の解決が平和裏に行われるようになるはずであった。ところが、アメリカは国際連盟に加盟せず、日本、ドイツ、イタリアは脱退し、組織としては機能不全となり、国際社会の結束は脆くも崩れ去り、第二次世界大戦の勃発を防ぐことはできなかった。

二度の世界大戦を経験した反省の上に一九四五年には国際連合が創設され、紛争処理に際しての平和的解決が義務付けられ、武力による威嚇または武力の行使は原則的に禁止され、いわゆる戦争違法化が確立すること

↙デモクラシーの批判と擁護――』晶文社、一八四頁）。
(48)　ロジェ・カイヨワ著、前掲書、一九一頁。

になる。しかしながら、国際連合は武力行使そのものを完全に否定してはいない。侵略された時に自衛権を発動することはもちろん、平和を破壊する行為に対して武力制裁を行うことは可能であり、そのための軍事力行使の権限が安全保障理事会に与えられている。国際社会の平和と安定のためには、この安全保障理事会が有効に機能することが望まれるが、問題は常任理事国（アメリカ、イギリス、フランス、ロシア、中国）が有する拒否権であり、一国の反対により、大方の意見を集約できても一致した行動を取ることが阻害されるのである。さらに常任理事国のいずれか一国でも侵略の意図を剝き出しにして戦争に及んだ場合、国際連合の役割は一気に無力化する。そのことは二〇二二年のロシアによるウクライナ侵攻によって白日の下に晒された。

独裁者の侵略行為に対して、国際連合が抑止できる、あるいは国際法で裁くべきだといった声を聞くことがあるが、それはナイーブな想念のようなものであって、実際には、ほとんど有効性は認められない。国家の指導者を裁判にかけるためには、その人を容疑者として拘束し、裁判所に出頭させなければならないが、そのような強制力を国際司法裁判所は有していない（そもそも、国際司法裁判所は、提訴する側と提訴される側の双方の合意なしにいかなる処分も行うことはできない）。国内犯罪に対応している警察や検察のような権力機構は、当然ながら国際社会には存在しない。仮に国際戦犯法廷を設置しようとしても、常任理事国の一国が拒否権を発動すれば議決できない。自国の安全保障を求めて過度に国連中心主義に依存することは危ういと言える。

そもそも、成立過程から見ても、国際連合という組織は第二次世界大戦の戦勝国である連合国が刷新した戦後の国際秩序を執行するための機関であり、旧敵国を管理する目的を帯びているのである。日本を含む「枢軸国」に対する措置を規定した敵国条項は一九九五年に死文化されたとは言え、国際連合憲章の改正には至っていないのが現実である。さらに言えば、主権国家として相互に平等を認める国際社会において、国際連合が各国を超越した権威であることなどは不可能であり、正義の執行を求めること自体が無理筋なのである。それは政府間で行われる会議の集合体、または政治的な了解を相互に模索する場所に過ぎない。もちろん存在理由は認められるが、恒久的な平和をもたらすための決定的な組織という位置付けは持たないと考えなければならないのではないか。紛争を処理するためのより実効的な解決手段が見出されない以上、手段化された戦争を根本的に放棄することはできない。カントの示した理念は正しいが、実現される可能性は限りなく低く、私たちは再考を求められるだろう。ここで、福田恆存の言葉を借りておこう。「平和論水泡に帰す、あとのことは知らぬ、それではすみません」[49]。

世界没落の悪夢

軍事史研究家アザー・ガットは、裕福な自由民主主義諸国の間では戦争は選択肢として排除され、相互信頼に基づき真の平和の状態が生れているという[50]。進化心理学者スティーブン・ピンカーによれば、今日は人類史上、暴力の減少が規模においても頻度においても顕著となっており、最も平和な時代を迎えているという[51]。統計的にはそのようなことが言えるのかもしれないが、世界の実情に鑑みると、それらの楽観的観測に与することができない。筆者は大量破壊兵器の使用をめぐって、一触即発の危機に見舞われているのではないかと悲観する。

(49)　福田恆存（二〇〇八年）『福田恆存評論集第3巻　平和論にたいする疑問』麗澤大学出版会、一五五頁。
(50)　アザー・ガット著、石津朋之・永末聡・山本文史監訳、歴史と戦争研究会訳（二〇一二年）『文明と戦争』（上・下）中央公論新社を参照。
(51)　ピンカーの議論で興味深い点は、暴力の誘発原因である五つの「内なる悪魔」（プレデーション、ドミナンス、リベンジ、サディズム、イデオロギー）が、その抑制原因となる四つの「善なる天使」（共感、セルフコントロール、道徳、理性）に打ち倒されてきた歴史的経緯の分析にあると言える。詳しくは、スティーブン・ピンカー著、幾島幸子・塩原通緒共訳（二〇一五年）『暴力の人類史』（下）青土社の第8章と第9章を参照されたい。

日本社会には核武装と聞いただけで条件反射的に拒絶する風潮があり、議論そのものが封殺されるきらいがあるが、そのような姿勢は得策と言えるのだろうか。国際政治学者ケネス・ウォルツの核兵器拡散論は言うに及ばず、いわゆる「核の忘却」から「核の復権」へと転換されていく中で、核抑止戦略は確実に捉え直されていく。そうした趨勢にあって何ら議論せず傍観しておくことは、「国際社会において、名誉ある地位を占めたい」と願う私たちに許された態度なのか。相互確証破壊（MAD: Mutual Assured Destruction）が二国間に成り立っていれば、核戦力を用いた軍事衝突は回避されるという考え方がある。現状に鑑みると、これは確かに機能していると認めざるを得ない。核兵器は絶対悪であるに違いないが、必要悪であるとも見なされて、その恐怖の均衡で安全保障体制が維持されてしまっている現実があり、決して無視することはできない。しかし、この種の議論は理想と現実に挟撃された苦悩と葛藤を背負って、慎重に行われるべきである。少なくとも以下に示すカントの警告は座右に置いておかねばならない（彼の時代に大量破壊兵器は存在していないが、この洞察には先見の明がある）。

絶滅戦争では、両方が同時に消え、それとともにすべての正義も消えるから、永遠の平和は、人類の大きな墓地でしか実現しないだろう。だから、このような戦争は、このような戦争に導く手段の使用とも、絶対に禁止しなければならない。[52]

（52）イマヌエル・カント著（二〇二二年）、前掲書、二〇頁。

筆者は専門的な知見を持ち合わせていないが、見聞するところ、これから注視しなければならないのは核戦力の動向とともに自律型致死兵器システム（LAWS: Lethal autonomous weapons systems）の全面的な展開ではないかと思う。つまり、人間の判断を介さずに標的を捉えて殺傷する人工知能を搭載した無人兵器の積極的な使用である（例えば、無人機攻撃によるテロリストの暗殺事例は枚挙に暇がない）。大国が侵略の意図を露骨に押し出してくる現状では、平和共存ではなく未来の戦争[53]の予兆が見られ、私たちの明日を悪夢のように重たく圧している。

いささか唐突であるかもしれないが、悪夢はロシアの文豪ドストエフスキーの作品に頻出するモチーフである。例えば、彼の代表作『罪と罰』のエピローグに、主人公ラスコーリニコフが見た「世界没落の悪夢」という話が出てくる。世界の終わりにちなんだ、ある恐ろしい悪夢が描かれている。少し長くなるが引用したい。

彼は大斎期の終わりと復活祭の一週間を、ずっと病院で過ごした。そろそろ回復しはじめてから、彼は、熱が出てうなされていた間の夢を思いだした。病気の間に彼はこんな夢を見た。全世界が、アジアの奥地からヨーロッパへ向かって進むある恐ろしい、前代未聞の疫病の犠牲となるさだめになった。ごく少数の、何人かの選ばれた者を除いて、だれもが滅びなければならなかった。顕微鏡的な存在である新しい旋毛虫があらわれ、それが人間の体に寄生するのだった。しかもこの生物は、知力と意志を授けられた精霊であった。これに取りつかれた人びとは、たちまち憑かれたようになって発狂した。しかし、それに感染し

（53）例えば、ローレンス・フリードマン著、奥山真司訳（二〇二一年）『未来の戦争――人類はいつも「次の戦争」を予測する――』中央公論新社、ルイス・A・デルモンテ著、川村幸城訳（二〇二一年）『AI 兵器 戦争の未来』東洋経済新報社は一読に値する。

た人ほど人間が自分を聡明で、不動の真理をつかんでいると考えたことも、これまでにかつてなかった。人間はかつてこれほどまで、自分の判断、自分の学問上の結論、自分の道徳的な信念や信仰を不動のものと考えたことはなかった。いくつもの村が、いくつもの町が、民族が、それに感染して発狂していった。みなが不安にかられ、おたがいに理解しあえず、だれもが真理の担い手は自分ひとりであると考え、他人を見ては苦しみ、自分の胸をたたいたり、泣いたり、手をもみしだいたりした。だれをいかに裁くべきかも知らなかったし、何を悪と考え、何を善と考えるかについても意見がまとまらなかった。だれを罪とし、だれを無実とするかもわからなかった。人びとはまったく意味のない憎悪にかられて殺しあった。おたがいに相手を攻めるために大軍となって集まったが、この軍隊はまだ行軍の途中で、突然殺し合いをはじめ、隊列はめちゃくちゃになり、兵士たちはたがいに襲いかかり、突きあい、斬りあい、嚙みあい、食いあった。町々では一日中警鐘が乱打され、みなが呼び集められたが、だれがなんのために呼んだのかはだれも知らず、ただみなが不安にかられていた。みなが自分の考えや、改良案をもちだして意見がまとまらないので、ごくありふれた日常の仕事も放棄された。農業も行なわれなくなった。人びとはあちこちに固まって、何ごとか協議し、もう分裂はすまいと誓うのだが、すぐさま、いま自分で決めたこととはまるでちがうことをはじめ、おたがいに相手を非難しあって、つかみ合い、斬合いになるのだった。火災が起こり、飢饉がはじまった。人も物もすべてが滅びていった。疫病はますます強まり、ますます広まっていった。全世界でこの災難を免れるのは、新しい人間の種族と新しい生活をはじめ、大地を一新して浄化する使命を帯びた、数人の清い、選ばれた人たちだけだったが、だれひとり、どこにもこの人たちを見かけたものはなく、彼らの言葉や声を聞いたものもなかった。(54)

(54)　ドストエフスキー著、江川卓訳（二〇〇〇年）『罪と罰』（下）岩波文庫、三九六-三九七頁。

救いようのない話である。ここには、世界を滅ぼす要因となったのは、人間の体に寄生した生物であり、それは「知力と意志を授けられた精霊」であったと書かれている。現代人にも、この「精霊」が憑依しているのではないか。そして、それを私たちに運んでくるのは日々飛び交っている〈情報〉なのではないか。[55] 常に発信される、真偽の不確かな、根拠の定まらない、しかし圧倒的な勢いで垂れ流されてくる情報に翻弄され、人々の間には信頼関係よりも疑心暗鬼が生み出されている。その喧噪と刺激によって麻痺させられた状況は、もう人間の手には負えなくなり、やがて私たちを錯乱状態に陥れて、滅ぼしてしまうのではないかと思う。今日の情報化社会では、殊更に事態が複雑化されていき、私たちは混乱させられ、物事の本質は見失われる一方である。私たちはどうでもよい情報の洪水の中で溺れかかり死にかかっているというのに、むしろそれに喜びを覚えるかの如くで、倒錯しているように見える。このような状況はかつてなかったことであり、これからますます制御不能な状態に陥っていくのだろう（メタバース市場への移行において、より喧噪と刺激が増す一方なのでは

(55) この点について補足説明するため、ヘンリー・キッシンジャーの主張を引用したい。「インターネットの時代、世界秩序はしばしば、つぎのような主張と同一視されてきた。世界の情報を自由に知り、交換できる能力を人々が持てば、人間は自然と自由に向けて突き進むものだから、自由が根付いて実現し、歴史はこのまま自動操縦で進むはずだというのである。しかし、哲学者や詩人は昔から、人間の意識の範囲を三つの部分――情報、知識、そして知恵――に切り分けてきた。インターネットは情報の領域に集中していて、情報の拡散が幾何級数的に容易になった。複雑な機能がどんどん考案され、ことに時の流れによって変化しない事実に関する質問への回答に長けている。検索エンジンは、ますます複雑になる質問を、ますます迅速に処理できるようになっている。しかしながら、情報過多は逆に、知識を得ることを妨げ、知恵をいまだかつてないほど遠ざけている」（ヘンリー・キッシンジャー著、伏見威蕃訳（二〇一六年）『国際秩序』日本経済新聞出版社、三九六頁）。さらに次の指摘も重要であろう。「事実がそのまま自明であることはめったにない。その意義、分析、解釈は――すくなくとも外交の世界では――背景や関連に左右される。争点に事実の裏付けがあるという見方が強まると、どんな質問にも検索できる答えがあるはずだという前提が成り立ってしまう。問題と解決策を徹底して考えるよりも、「調べればいい」ということになる。しかし、国と国との関係では――他の多くの分野でもおなじだが――情報をほんとうに役立てるには、歴史と実例という幅広い背景と引き比べて、真の知識にしなければならない」（前掲書、三九七頁）。

ないかと、筆者は懸念している）。「精霊」に感染し自分の聡明さを疑わないで過てる「大衆人」を思う時、トマス・ルルイの彫刻《生き残るには脳が足りない[56]》が脳裏に浮かんでくる。

傲岸不遜な指導者たちの言動やそれに便乗する無責任なマスメディアに翻弄され、排他的なナショナリズムの訴えであれ、当てもない対話と非武装を掲げる平和主義の叫びであれ、両極端に引き裂かれる極端主義の典型のような、一時的な熱狂を呼び込むパフォーマンスのような言論に惑乱され、私たちはただ右往左往するしかない。しかし、私たちは扇動的な言葉に惑わされて浮足立つことはない。まして、現実逃避に向かっていく必要はない。危機の到来に備えて、先ずは目を覚ましたい。生存の要諦は、覚醒して、刮目することである。平和の理想を夢見るあまり緊迫した現実を認識しようとしない態度、思考停止に陥ってしまう愚かさ、あるいは議論から遠ざかる無責任と無関心から決別しなければならない。なぜならば、真摯かつ慎重な思慮をもって現実に向き合うことによって平和は保たれると考えられるからである。今日の混沌とする精神状況を鎮めようと思う時、次のような使信が暗示的ではないだろうか。小林秀雄の「私の人生観」に記された言葉を引用して締め括りたい。

（56）　現代人の姿を表現したものとして、筆者はトマス・ルルイの《生き残るには脳が足りない》という彫像を思い出す。タイトルとは逆で、頭脳が巨大化して、体が支えきれなくなって、首がねじれて、頭が横に倒れている。自然を表わす身体に対して、知性を表わす頭部が、人間の在り方に見合わないほど肥大してしまって、転倒が起こっている。しかし、よく見れば、タイトルの通りであって、この彫像には、私たちが人間として健全に生きていくのに必要な知は存在していない。余計なことばかりを考えていて、もはや身動きが取れなくなっている状態であり、それは滑稽でいて、けれども風刺としては鋭く、現代社会を撃つ恐ろしい作品であると思う。現代人は狡猾な知には長けているのかもしれないが、生きていくために大切となる知には欠けている。これは頭でっかちの現代人の象徴として、大変よくできた作品であると思う。

思想が混乱して、誰も彼もが迷っていると言われます。そういう時には、又、人間らしからぬ行為が合理的な実践力と見えたり、簡単すぎる観念が、信念を語る様に思われたりする。……思想のモデルを、決して外部に求めまいと自分自身に誓った人。平和という様な空漠たる観念の為に働くのではない、働く事が平和なのであり、働く工夫から生きた平和の思想が生れるのであると確信した人。そういう風に働いてみて、自分の精通している道こそ最も困難な道だと悟った人。そういう人々は隠れてはいるが到る処にいるに違いない。私はそれを信じます。[57]

【参考文献】


R・H・ベイントン著、中村妙子訳（一九六三年）『戦争・平和・キリスト者』新教出版社。

ロジェ・カイヨワ著、秋枝茂夫訳（一九七四年）『戦争論――われわれの内にひそむ女神ベローナ――』（りぶらりあ選書）法政大学出版局。

エラスムス著、月村辰雄訳（一九八四年）「戦争は体験しない者にこそ快し」、二宮敬『エラスムス』（人類の知的遺産23）所収、講談社。

グローチウス著、一又正雄訳（一九八九年）『戦争と平和の法』（全3巻）、酒井書店。

小室直樹（一九九〇年）『新戦争論』光文社文庫。

小室直樹（一九九七年）『世紀末・戦争の構造』徳間文庫。

トマス・アクィナス著、大鹿一正・大森正樹・小澤孝共訳（一九九七年）『神学大全17』、創文社。

Christine Shaw (1997), *Julius II: The Warrior Pope*, Wiley-Blackwell.

エラスムス著、箕輪三郎訳（二〇〇〇年）『平和の訴え』岩波文庫。

ドストエフスキー著、江川卓訳（二〇〇〇年）『罪と罰』（下）岩波文庫。

上智大学中世思想研究所編、田口啓子編訳監修（二〇〇〇年）『中世思想原典集成20　近世のスコラ学』平凡社。

柳原正治（二〇〇〇年）『グロティウス』清水書院。

木寺廉太（二〇〇四年）『古代キリスト教と平和主義――教父たちの戦争・軍隊・平和観――』立教大学出版会。

山内進編（二〇〇六年）『「正しい戦争」という思想』勁草書房。

福田恆存（二〇〇八年）『福田恆存評論集第3巻　平和論にたいする疑問』麗澤大学出版会。

---

(57)　小林秀雄（二〇一九年）『人生について』中公文庫、七七頁。

マイケル・ウォルツァー著、萩原能久監訳（二〇〇八年）『正しい戦争と不正な戦争』風行社。

アザー・ガット著、石津朋之・永末聡・山本文史監訳、歴史と戦争研究会訳（二〇一二年）『文明と戦争』（上・下）中央公論新社。

イマヌエル・カント著、中山元訳（二〇一二年）『道徳形而上学の基礎づけ』光文社古典新訳文庫。

教皇ヨハネ23世著、マイケル・シーゲル訳（二〇一三年）『回勅　パーチェム・イン・テリス――地上の平和――』カトリック中央協議会。

アウグスティヌス著、泉治典他訳（二〇一四年）『神の国』（下）教文館。

エラスムス著、沓掛良彦訳（二〇一四年）『痴愚神礼讃　ラテン語原典訳』中公文庫。

中江兆民著、鶴ヶ谷真一訳（二〇一四年）『三酔人経綸問答』光文社古典新訳文庫。

スティーブン・ピンカー著、幾島幸子・塩原通緒共訳（二〇一五年）『暴力の人類史』（上・下）青土社。

リチャード・タック著、萩原能久訳（二〇一五年）『戦争と平和の権利――政治思想と国際秩序：グロティウスからカントまで――』風行社。

アルバート・アインシュタイン、ジグムント・フロイト共著、浅見昇吾訳（二〇一六年）『ひとはなぜ戦争をするのか』講談社学術文庫。

ヘンリー・キッシンジャー著、伏見威蕃訳（二〇一六年）『国際秩序』日本経済新聞出版社。

石川明人（二〇一六年）『キリスト教と戦争』中公新書。

眞嶋俊造（二〇一六年）『正しい戦争はあるのか？――戦争倫理学入門――』大隈書店。

スコット・セーガン、ケネス・ウォルツ共著、川上高司監訳、斎藤剛訳（二〇一七年）『核兵器の拡散――終わりなき論争――』勁草書房。

ラインホールド・ニーバー著、武田清子訳（二〇一七年）『新版　光の子と闇の子――デモクラシーの批判と擁護――』晶文社。

秋山信将・高橋杉雄共編（二〇一九年）『「核の忘却」の終わり――核兵器復権の時代――』勁草書房。

小林秀雄（二〇一九年）『人生について』中公文庫。

オルテガ著、佐々木孝訳（二〇二〇年）「イギリス人のためのエピローグ」『大衆の反逆』岩波文庫。

ルイス・A・デルモンテ著、川村幸城訳（二〇二一年）『AI　兵器　戦争の未来』東洋経済新報社。

ローレンス・フリードマン著、奥山真司訳（二〇二一年）『未来の戦争――人類はいつも「次の戦争」を予測する――』中央公論新社。

山内進（二〇二一年）『グロティウス『戦争と平和の法』の思想史的研究――自然権と理性を行使する者たちの社会――』（MINERVA 人文・社会科学叢書　249）ミネルヴァ書房。

イマヌエル・カント著、丘沢静也訳（二〇二二年）『永遠の平和のために』講談社学術文庫。

ブラッド・ロバーツ著、村野将訳（二〇二二年）『正しい核戦略とは何か――冷戦後アメリカの模索――』勁草書房。

4　自由の価値

自由の濫用

自由であることは尊く死守されるに相応しい。他人に隷従することなく自分の意志に従って自由に生きることができる、それは何にもまして代え難いことである。ところが、社会において自由が不足すると抑圧が生じて息苦しくなる一方、他方では自由が過剰になると我儘放蕩に堕してしまう。秩序との関係を考慮するならば、個人が真に自由であるためには高度な自立と自律が欠かせず、行動において常に責任感を伴っていなければならない。緊張感と節度のあるところに、健全な自由が育まれる。

現代社会では、自由の在り方が極端な不足から極端な過剰まで引き裂かれており、平衡を欠いた状態に陥っているように見受けられる。例えば、全体主義（共産主義）体制のもとでは基本的な自由権も認められず、個人の自由は圧殺されている。私たちは21世紀にしてもなお、人間の尊厳が蹂躙され、「民族浄化」が行われている現実を目の当たりにしている。[1] 私たちが属する自由民主主義体制のもとでは、今や自由の過剰が放縦をもたらしており、かえって自由の価値を棄損してしまっている。

近代自由主義に基づく自己決定権は、私たちの社会においていわゆる援助交際から自殺の権利（安楽死）に

(1)　近年の深刻な状況については、国連人権高等弁務官事務所（OHCHR）が発表している報告書等を参照されたい。

まで及んでおり議論を呼ぶことが多い[2]。卑近な例ではあるが、コロナ禍にある昨今では、使用済みマスクが売り買いされているらしい。売り手と買い手が対価において合意すれば、どのようなものでも自由に売買できるのかもしれないが、使用済みマスクに付着する細菌や真菌といった衛生上の懸念が問われる以前に、一体、日本人の道徳観念はどうなってしまっているのかと嘆かざるを得ない。この件に限らず、一般論として、他人に迷惑をかけなければ自分は何をしても構わない、もはや恥も外聞もないのだ、それが自由なのだと錯覚して、野放図に振る舞うことが許されているかのようである（生き方における多様性の尊重という便利な言葉が誤って用いられる場合もある）。はっきり言って、それは自由の濫用である。

本章ではヨーロッパ思想史を手がかりに自由の濫用について反省する。それとともに平衡を欠いた自由の危機にも着目したい。そして、改めて自由の価値を問いたいと思う。近代自由主義の系譜についてはマルティン・ルターやジャン・カルヴァンの宗教改革の思想、トマス・ホッブズやジョン・ロックの近代的社会契約説など考慮すべき点が多いが、ここではジョン・スチュアート・ミルの『自由論』を取り上げることから始めたい。特に、自由の濫用に関わる愚行権について取り上げる。次に、自由の成立について保守主義の立場から考察する。そして、現代に生きる私たちが（未来にわたって託したい）守るべき自由の価値とは一体どのようなものか明らかにしたい。

（2）　具体的な事例については、小松美彦（二〇〇四年）『自己決定権は幻想である』洋泉社、同（二〇二〇年）『増補決定版「自己決定権」という罠──ナチスから新型コロナ感染症まで──』現代書館において紹介されている。なお、小松によれば、self-determination という言葉は第二次世界大戦後の植民地独立運動で使用され、邦語では「民族自決」と訳されていたらしい。最近の意味合いで「自己決定権」という語が用いられるようになったのは一九七〇年代後半から八〇年代初頭であると述べられている。詳しくは、小松美彦（二〇〇四年）、前掲書、一六－一七頁を参照のこと。

ミルの愚行権

イギリスの政治哲学者であるミルはリベラリズム、功利主義、また社会民主主義に多大な影響を与え、特に『自由論』（一八五九年）は近代自由主義の自己決定権を基礎付けるものと評価されている。ミルは後述するアレクシス・ド・トクヴィルを経由して、「多数者の専制」（tyranny of a multitude）に陥るデモクラシーの問題性についても認識しており、諸条件（生活様式、財産、知識）の平等化（水平化）が個人の創造性や自発性を阻害し、個々の自由を簒奪してしまうのではないかと危惧していた。個人の自由は外部から規制されるものではなく、内部から規律されるものでなければならない。ミルが強調する個人の創造性や自発性の尊重について、筆者も基本的に同意したい。次に引用するようなミルの言葉によって、筆者自身も励まされてきたことがある。

> 人生の設計を自分で選ぶのではなく、世間や自分の周辺のひとびとに選んでもらうのであれば、猿のような模倣能力のほかには何の能力も必要ない。しかし、自分自身で選ぶのであれば、自分に備わる能力をすべて用いなければならない。すなわち、ものごとを眺める観察力、ものごとを予測する推理力と判断力、ものごとを決めるために必要な材料を集める行動力、ものごとを決める分別力、そして、決めた後には、熟考の成果であるその決定を守り抜く堅固な精神力と自制力を用いなければならない。[3]

では、ミルは個人の自由をどのように規定しているのか。『自由論』によれば、判断能力のある大人ならば、自分の生命、身体、財産などあらゆる自分のものに関して、他人に危害を及ぼさない限り、たとえその決定が

(3) ジョン・スチュアート・ミル著、斉藤悦則訳（二〇一二年）『自由論』光文社古典新訳文庫、一四三頁。

本人にとって不利益なことでも、自己決定の権限を持つと説明されている。およそ一七世紀から一八世紀にかけての市民革命期に、国王や封建領主など為政者の拘束から個人を解放し、その固有の利益を守るために自由権が主張されたと一般的には理解されている。一九世紀のミルはより積極的な自由を求めて、個人が自らの方法で幸福を追求し、個性を伸張し、それぞれに独自の生を創造することを重視した。そのために個人の私的領域に対して、国家が公益を振りかざして規制をかけてくることを認めず、また強い立場から弱い立場へ干渉（介入、支援）するパターナリズムも排除するように主張している。個人に対して国家や社会が正当に行使できる権力とは何か、その限界あるいは制約を明確化しているところに、ミルの議論の特徴があると言えよう。例えば、次のような主張である。

社会が個人に干渉する場合、その手段が法律による刑罰という物理的な力であれ、世論という心理的な圧迫であれ、とにかく強制と統制のかたちでかかわるときに、そのかかわり方の当否を絶対的に左右するひとつの原理があることを示したい。その原理とは、人間が個人としてであれ集団としてであれ、ほかの人間の行動の自由に干渉するのが正当化されるのは、自衛のためである場合に限られるということである。文明社会では、相手の意に反する力の行使が正当化されるのは、ほかのひとびとに危害が及ぶのを防ぐためである場合に限られる。(4)

要するに、自衛以外には、こちらから相手の自由（行動）に干渉することができない。換言すると、他人の

(4)　前掲書、二一九-二二〇頁。

生命や財産を侵害しない限り、誰からも一切干渉されることなく、個人は自らの意志に従って自由に生きる権利を持つ。ミルによれば、公共の利益に適うとか、本人のためになるとかいった名目で、個人のライフスタイルに干渉することは許されず、まして正しい方向に導くためのアドバイスなどは必要とされない。たとえ個人の選択が誰の目から見ても愚かな行為であると分かっても、「他者危害原則」（harm-principle）に抵触しない限りは干渉すべきではない。ミルは以下のように述べている。

物質的にであれ精神的にであれ、相手にとって良いことだからというのは、干渉を正当化する十分な理由にはならない。相手のためになるからとか、相手をもっと幸せにするからとか、ほかの人の意見では賢明な、あるいは正しいやり方だからという理由で、相手にものごとを強制したり、我慢させたりするのはけっして正当なものではない。これらの理由は、人に忠告とか説得とか催促とか懇願をするときには、立派な理由となるが、人に何かを強制したり、人が逆らえば何らかの罰をくわえたりする理由にはならない。(5)

そうした干渉を正当化するには、相手の行為をやめさせなければ、ほかの人に危害が及ぶとの予測が必要である。個人の行為において、ほかの人にかかわる部分についてだけは社会に従わなければならない。しかし、本人のみにかかわる部分については、当然ながら、本人の自主性が絶対的である。自分自身にたいして、すなわち自分の身体と自分の精神にたいしては、個人が最高の主権者なのである。(6)

（5）前掲書、三〇頁。
（6）前掲書、三〇頁。

　ミルの議論では、自由の主体にして「最高の主権者」と見立てられた「個人」の自主性が絶対化されており、個人の自由を最大限に尊重したものと評価されている。こうした自由は「成熟した大人」にのみ適用され、自己決定権のない保護の対象である「子供」や「法的に未成年の若者」は対象外と見なされている。[7] ここでは差し当たり「成熟した大人」を成人と解釈しておこう。日本の民法第4条では「満18歳をもって成年」（二〇二二年四月より民法改正）と規定されている。[8] 成人が持つ自己決定権は財産処分、営業、結婚、性交、人工妊娠中絶、安楽死、治療拒否、臓器提供など、あらゆる問題に及んでおり、その範囲は原則的に個人の所有する全てのもの（生命、身体、財産、名誉、信仰、労働、創意、才能など）である。したがって、自己決定権は一種の所有権であると考えられる。そうであるならば、〈私〉が自分の生命の所有権＝自己決定権を持つ以上は、自殺する権利も正当化されるということにならないだろうか。[9] 筆者は、自己決定権が認定される成人年齢の規定について疑問を持っている。一定の年齢で区切るしか方法がないのかもしれないが（成人を何らかの試験制度で認定するわけにもいかないので）、責任能力が問われることなく年齢によって画一的に決められるほど安易な話ではないのではないか。また、自己決定権を行使する際に、判断能力の有無は全く考慮されなくてよいのかどうかも懸念がある。[10] 要するに、「成熟した大人」にのみ適用されるべき自由が、成熟したと見なされただけの大人

（7）　前掲書、三一頁を参照。
（8）　民法が定める成年年齢には、一人で有効な契約をすることができる年齢という意味と、父母の親権に服さなくなる年齢という二つの意味がある。
（9）　この点については、以前に論じたことがある。拙著（二〇一五年）「自殺の権利」『問題意識の倫理』ナカニシヤ出版、一七五―一八九頁を参照されたい。
（10）　例えば、ある人が精神疾患の一種である認知障害、具体的には健忘、認知症、せん妄などを患った場合、意思能力に関する第三者の客観的評価に従って、自己決定権の使用は制限されざるを得ないだろう（この問題をめぐっては、詐欺、不当な契約といったトラブルも発生しており、社会問題化している）。

に与えられた場合、議論の前提が崩壊する恐れがあるように思うのである。

ミルによれば、人間の悪事とは、他者への危害、他者への迷惑、自己への危害と考えられているが、刑罰の対象になるのは他者への危害のみである。先述した「他者危害原則」については、次のような説明がなされている。

正当な理由なしに他人に害を与える行為は、いかなる種類のものであろうとも、周囲のひとびとの不快感によって、さらには周囲のひとびとの積極的な干渉によって、抑制することが許される。もっと重大な場合には、その抑制は絶対に必要である。個人の自由には限度というものがある。つまり、他人に迷惑をかけてはならない[11]。

個人の行為は、法に定められた他人の権利を侵害するまでにはいたらなくても、他人を傷つけることがありうるし、他人にたいする思いやりを欠いたものであることもありうる。そうした行為をした者は、法律によって罰せられなくても、世論によって罰せられてよいのだ[12]。

ミルは個性に対する最大の敵として習慣と世論を挙げているが、先の引用では自由の暴走を抑制する働きとして世論の喚起に言及している。しかし、世論の内容や影響力は問題的である。現代社会においてはソーシャ

(11) ジョン・スチュアート・ミル著、前掲書、一三七頁。
(12) 前掲書、一八三頁。

ルメディア上でキャンセル・カルチャーが全盛であり、法律で裁かれる以上に過酷な得体の知れない世論によって罰せられて、社会的生を強制的に終了させられるケースも目立っている。世論を警戒しながらそれに擬似的な刑罰を期待するミルの議論には、明らかに矛盾があるように思われる。「多数者の専制」の武器になり得る世論の効果について、ミルの見通しは不十分であったと言えるのかもしれない。

いずれにせよ、「他者危害原則」に抵触しなければ、つまり誰にも迷惑をかけなければ、どのような行為も自由と認められる。付言すれば、自由を認めることは愚行をも認めてよいことになる。それを「愚行権」と呼ぶのであるが、その根拠は四つ示されている。

①個人の幸福について、最も関心を持っているのは当人であって、他人には関係のないことである。「人が幸せに生きることに一番関心があるのはその人自身である。その人を愛する気持ちがよほど強い場合を除けば、他人がその人について抱きうる関心は、当人自身のそれに比べれば取るに足らない[13]」。

②個人の人生について、最も関心を持っているのは当人であって、社会はほとんど何の関心も持っていないのが実情である。「社会が、個人としての人間についてもつ関心は（その人の社会的な行為にかんするものを除けば）微々たるもので、しかもまったく間接的である。ところが、個人の気持ちや立場を理解することについては、ごく普通の男女でさえ、その人自身がほかの誰よりも優れたものをもっている[14]」。

③愚行を咎めようとする場合、その判断の根拠は一般的な推定（推論）によるものとなるだろうが、本人にしか分からない目的や価値判断があるかもしれないので、親切な助言が不適切あるいは誤りになる可能性があ

(13)　前掲書、一八六頁。
(14)　前掲書、一八六頁。

る。そうした誤った干渉は個人の自由を侵害して危険である。「その人だけにしか関係しないことについて、社会がその人の判断や思惑を支配しようと干渉する場合、社会はどうしても一般的な想定にもとづかざるをえない。しかし、その一般的な想定はまったくまちがっているかもしれない。たとえ正しくても、個々のケースでは、単なる傍観者と同じ程度にしか事情がわかっていない人間によって、まちがって適用される可能性がある[15]」。

④私的領域においては、愚かな振る舞いによって失敗したとしても、それが個人の自由によるものならば尊重されるべきであり、他人の判断基準によって幸福を押しつけられることの方が、実害が大きいと考えられる。「したがって、その人だけにしか関係しない部分は、まさしく個性が自由にふるまえる領域である。もちろん、人間が互いにかかわりある行為においては、他の人がその場でどのような行動をするのか予測できるよう、一般的なルールがおおむね守られることが必要である。しかし、自分にしか関係しない行為においては、各人が個人的な自発性を自由に発揮できる権利をもっている。他人から、自分の判断の助けとなる忠告や、意志を強くしてくれる説教を授かるかもしれない。あるいは、押しつけられるかもしれない。しかし、最終的に判断するのはその人自身なのである。なるほど、忠告や説教に逆らえば、誤りを犯すこともあろう。しかし、その誤りは、他人が親切心を押しつけるのを許すことの害悪よりは、はるかにましである[16]」。

以上が愚行権の根拠であり、概ね現行の自由概念もこのような発想に依拠していると考えられる。繰り返しになるが、他人に危害を及ぼさない限り、どのような馬鹿げた行動をしようとも本人の自由（勝手）である。

(15)　前掲書、一八六頁。
(16)　前掲書、一八六―一八七頁。

誰かを軽挙妄動から守ろうとしたり、最善の生き方を示そうとしたりする行為は許されていない。本人の自主性が絶対的であるから、個人の自由に介入することは避けなければならない。ミルは以下のように断言している。

人間は一人であれ多数であれ、ほかの成人にむかって、あなたは自分の生活で自分がやりたいことを自分の都合でやりたいようにやってはならない、と言う権限などない[17]。

ミルの自由論は外側からの規制（国家の権力や社会の監視）を排除するあまり、内部からの規律を過大視するものとなっているが、「成熟した大人」の前提が崩れたところで愚行権が一人歩きすると、自由は歪んでしまうのではないか。その矯正は自己責任に委ねてしまってよいのだろうか。ミルは公的領域と私的領域を区別しているが、現実には重なり合っており公私は複雑に入り混じっている。習慣と世論が個人の自由な領域を脅かすとミルは述べているが、私見によれば習慣（輿論）と世論は同一視されるものでもなく、前者は後者を牽制する役割を帯びているはずである。「成熟した大人」は個人の自由を行使する時に、社会的な干渉や教育的な助言を参照できる余裕（思慮分別）がなければならないのではないか（受け入れるかどうかはともかく、無視せずに傾聴することは大切なはずである）。そのバランスを図るために習慣が存在してきたのではないかと筆者は考える。少なくとも筆者はミルの立場とは異なって、習慣を個性に対する最大の敵と見なさない（世論につ

（17）前掲書、一八五頁。

いてはその限りではない)。

ミルにはスキャンダルがあった。ハリエット・テイラーという人妻との交友について、ミルは公言して憚らなかった。ミル、ハリエット、その夫のテイラーとの三人の生活は、いわゆる上品なヴィクトリア朝の道徳観(Victorian morality)において厳しい目で見られていたことは想像に難くない。一連のミルの議論は、彼個人の奔放な生活に対する自己弁護、あるいは自分本位の「自由」の正当化という側面があったと評しては礼を失するだろうか[18]。

現代のリベラリズム[19]の立場では、主観的な価値判断が優位に立ち、個人の価値観の多様性が擁護されている。それに比べて、社会的な共通善への配慮は弱いと言える。したがって干渉が有効だと推測されても、個人の自由を侵害してはならないという名目で、敢えて関わらない方がよいという判断を求めるのである。ここに抽象的な人権イデオロギーが加わると、プライバシー侵害という壁が大きく立ちはだかり、隣家で幼児が虐待され

(18) 例えば、この点について以下のような指摘がなされている。「個人的には、一八三二年ベンサムが亡くなり、一八三六年父親のジェームズも他界し、そして人妻ハリエット・テイラーとの恋愛を経験した。二人の関係は一八三〇年からハリエットの夫が死ぬ一八四九年まで続き、二人は一八五一年に結婚した。ハリエットとの関係は、ミルの人間関係に多大な軋轢を引き起こした。このことが原因で、ジョン・オースティンやスターリングといった古い友人、カーライルそしてミルの親戚との関係も疎遠になっていった。こうした彼の経験は、彼の『自由論』の思想形成に無視しえない影響を与えたのである」(古賀敬太(二〇〇一年)『近代政治思想における自由の伝統――ルターからミルまで――』晃洋書房、二三一頁)。

(19) アメリカの政治哲学者パトリック・デニーンは、現代のリベラリズムの問題を次のようにまとめている。「リベラリズムは失敗した。リベラリズムを実現できなかったからではなく、リベラリズムに忠実だったからである。成功したために失敗した。リベラリズムが「完成形に近づき」、秘められていた論理が明らかになり自己矛盾が目に見えてくると、リベラリズムのイデオロギーは実現されているが、その主張通りにならないという病弊が生じた。平等を促進し、さまざまな文化や信念が織りなす多元的タペストリーを擁護し、人間の尊厳を守り、そしてもちろん自由を拡大するために世に送りだされた政治哲学が、現実にはとてつもない格差を生み、画一化と均質化を押しつけて、物心両面での堕落を助長し自由をむしばんでいる」(パトリック・デニーン著、角敦子訳(二〇一九年)『リベラリズムはなぜ失敗したのか』原書房、一七頁)。

ていても（それに薄々と気付いていていても）立ち入ることができず放置されてしまう事態となり、殺伐とした社会になってしまう。他人に迷惑をかけなければ何をしてもよいという自由の意識にはアノミーとニヒリズムが漂っており、それが自閉的な個人主義と化せば、あらゆる対話（コミュニケーション）が遮断されて、社会的孤立が深刻化する。要するに、愚行権の無思慮な行使は人生を愚行に終わらせ、最終的には全て自己責任に回収されるだけである。「あなたの自由を尊重します」、「全てはあなたの自己責任です」という物分かりの良さそうな言説を逆手にとって、必要な教育や親身な指導を怠ることもできる。ミルの議論には人間関係における信頼の構築という点が欠けているのではないか。信頼は人間的自由の構成要素である。

愚行権が示唆するように、人間の追求する価値が単に個人の快楽や嗜好にしかないのであれば、社会も文化も頽廃してしまうのではないか。筆者は自由と干渉のバランスは現実に即したＴＰＯ（時 time・場所 place・場合 occasion）にかかっており、その微妙な調整機能が習慣に含まれるものと考え、ミルのように習慣からの解放＝自由と捉えるのは短絡的ではないかと思う。自由の価値は抽象的な理念ではなく、属する共同体において具体的に基礎付けられるものであり、次節ではこの点について考察を進めたい。

革命の幻想

近代的な自由権の主張は一七世紀から一八世紀にかけての市民革命期に顕著なことだと既述したが、その最大の成果としてフランス革命（一七八九年）を取り上げることができるだろう。「自由・平等・友愛」（Liberté, Égalité, Fraternité）という高邁な理念を掲げたフランス革命は近代市民社会のモデルとして、自由民主主義の嚆矢として一般的には評価されている。しかし、それは実態と乖離したフランス革命の幻想に過ぎない。自由

という スローガンが立派に掲げられているからといって、自由そのものが尊重されていると誤解してはならない。むしろ、この革命の原理は危険思想に満ちており、全体主義の源流を成すと言っても過言ではない。歴史の評価は困難を極めるが、何らかの視点に立って考えざるを得ないので、本節ではエドマンド・バークの『フランス革命についての省察』（一七九〇年）に依拠した議論を行う。

バークはイギリス庶民院議員も務めた政治哲学者であり、保守主義の泰斗と目されている。フランス革命に対する彼の印象を知るためには、以下の引用が妥当だろう。武装したパリ市民がヴェルサイユ宮殿に乱入し、ルイ16世ら国王一家をパリに強制連行したヴェルサイユ行進の報に接したバークの率直な感想が記されている。ここで言及されている「あの女性」とは、後に処刑される王妃マリー・アントワネットのことである。

わたしは自分が生きているうちに、これほどの災厄があの女性に降りかかるのを目にしたことが信じられません。女性に丁重な国、名誉と騎士道を尊ぶ国にあってこうなのです。王妃を侮辱しようというまなざしがみられただけで、一万本もの剣が報復のために抜き放たれて閃くものと思いこんでいました。ですが騎士道の時代はもはや過ぎ去りました。そして詭弁家の時代、守銭奴の時代、計算高い人びとの時代がそれにつづいたのです。

ヨーロッパの栄光は永遠にうしなわれました。高い身分と女性に対するあの寛大なまでの忠誠心、あの誇りに満ちた服従、威厳のただよう従属、そして心からの献身を、ふたたび目にすることはもはやけっしてないでしょう。かつては奴隷の身分にあってさえ、あの高められた自由の精神が息づいていました。お金では買えない品位のある生活、費用などかからない国家の防衛、男らしい感情と英雄的行為の揺籃、すべて消えました。原理に対する鋭い感受性、名誉を重んじる忠節心、わずかな汚れも傷とする感覚、残忍さをくじき、勇気を奮いたたせ、手に触れたすべてを高尚なものに変え、悪徳からさえ粗雑をそぎ落として害悪をなかば消してしまう感性、もはやすべてはうしなわれたのです。[20]

ここでフランス革命の経緯について詳細に論じる余裕はないので、時系列的に項目を列挙するに留めたい。ルイ16世が財政再建のために三部会を召集したところから、一連の混乱が始まる。三部会では議論が紛糾し、第三身分の議員が国民議会を宣言する。そこでは国王に拒否権を認めず、国民議会の承認なしの租税徴収や新税は不法であると決議された。この動きに第二身分も合流し、テニスコートの誓い（一七八九年六月二〇日）、憲法制定国民会議への改称（七月九日）、バスティーユ監獄への襲撃（七月一四日）、「人間と市民の権利の宣言」の制定（八月二六日）、ヴェルサイユ行進（一〇月五日）、ヴァレンヌ事件（一七九一年六月二〇日）、シャン・ド・マルスの虐殺（七月一七日）、「一七九一年憲法」の宣言（九月三日）、立法議会の発足（一〇月一日）、ジロンド派内閣の発足（一七九二年三月二三日）、オーストリアへの宣戦布告（四月二〇日）、八月一〇日事件（八月一〇日）、九月虐殺事件（九月二日）、国民公会の発足（九月二一日）を経て、王政の廃止、第一共和政の成立、ルイ16世の無条件処刑（一七九三年一月二一日）、革命裁判所の設置へと続く。この経過における党派間の権力闘争は熾烈を極めるが、主導権を握ったジャコバン派のマクシミリアン・ロベスピエールが恐怖政治を敷くようになる（この間にジロンド派、エベール派、ダントン派は粛清される）。が、テルミドールのクーデター（一七九四年七月二七日）でロベスピエールは失脚し、サン＝ジュストらとともに処刑される。それ以降

（20）　エドマンド・バーク著、二木麻里訳（二〇二〇年）『フランス革命についての省察』光文社古典新訳文庫、一六五頁。

の政治的混乱や民衆蜂起はナポレオン・ボナパルトによって軍事的に鎮圧され、総裁政府が樹立される（一七九五年一〇月二七日）。イタリア遠征やエジプト遠征を経て、ブリュメールのクーデターが発生する。これによってナポレオンが政権を掌握し、国民投票によって皇帝に即位する（一八〇四年五月一八日）。

以上、フランス革命の争乱はナポレオンの第一帝政という独裁に帰着すると要約できる。先述した革命裁判所なるものが、反革命のレッテルを貼られた以前までの同志を即席裁判にかけてギロチンで斬首するということが横行していた事実に鑑みると、自由・平等・友愛のスローガンとの乖離が鮮明に認識されてくるのではないか。こうした歴史的帰結を（実際には見ていないが）事前に正確に予測して、フランス革命の原理がイギリスに流入してくるのを阻止するため、毅然とした論陣を張ったのがバークであった。このような血塗られた革命騒ぎの中で絶叫される自由が、真の自由であるはずがない。以下の引用にあるように、バークの考える自由は叡智と道徳に結ばれたものだった。

叡智のない自由、徳のない自由とはいったいどんなものでしょうか。これは考えられるかぎり最も忌まわしい害悪なのです。それは教えることも抑えることもできない愚行で、悪徳で、狂気だからです。[21]

世襲された自由

一七八九年一一月四日、ロンドンの名誉革命協会（名誉革命一〇〇周年記念集会）でユニテリアン派の牧師

(21) 前掲書、五三〇頁。

リチャード・プライスが「祖国愛について」[22]と題する演説を行い、フランス革命を賛美し、イギリスもこれに倣うべきという自説を展開した。一六八八年の名誉革命とは国王ジェームズ2世の専制に対して引き起こされた無血革命のことである。ジェームズ2世の廃位後、その娘メアリーと夫のオレンジ公ウィリアムがメアリー2世とウィリアム3世として共同で王位に就いた。そして、王位に対する議会の優位を認めた「権利章典」が発布され（一六八九年）、イギリスにおける議会主義の基礎となった。プライスによれば、名誉革命において人民は自分たちの統治者を選ぶ権利、統治者を（非行を理由に）追放する権利、自分たちで政府を樹立する権利を得たと主張されているが、名誉革命とフランス革命を同質的に（延長線上に）捉えるかのような見方に対してバークは憤慨し、それらの見解を論駁していく[23]。

バークによれば、イギリス国王の正当性（合法性）は人民の選択に拠っているのではなく「世襲の原理」（inheritable principle）に基づいてる。議会が制定した「権利章典」の正式名称である「臣民の諸権利および諸自由を宣言し、王位継承を確立するための法令」に明確化されているように、人民の自由は普遍的な（抽象的な）「人間の権利」ではなく、「臣民の権利」として王位継承と一体化されており、古来より伝えられてきた具体的な相続財産と見なされるべきものである（法と自由は一二一五年の「マグナ・カルタ」、一六二八年の「権利請願」を通して相続され、保障されてきたと考えられる）。イギリスにおいて王位は人民の選択ではなく世襲的継承を旨としている。なぜならば、人民の選択による以外の王位を無効と決定すれば、その時点で、そ

(22) リチャード・プライス著、永井義雄訳（一九六六年）『祖国愛について』（社会科学ゼミナール34）未来社を参照のこと。
(23) バークのプライス批判については、貫龍太（二〇一七年）「エドマンド・バーク『フランス革命の省察』における熱狂と政治社会――プライス受容と批判の分析から――」『経済論叢』（京都大学）第一九一巻第四号、一五―三八頁が詳しい。

れ以前の王位もまた無効となり、その治世下で制定された法令もまた無効となるからである。また、名誉革命におけるジェームズ2世の廃位は、非行（失政）を理由としておらず（それは人民の恣意的な解釈になりかねないため）、国王と臣民の原初契約の破棄（国制の転覆）という不法行為に起因している。したがって、この廃位はイギリスの国制を保守するための修正（変更）であり、「世襲の原理」に反するとは言えないとバークは主張する。つまり、名誉革命は過去との連続性の上に政府を更新しているのであって、フランス革命のようにアンシャン・レジームを否定（破壊）して全く異なる政体に作り変えたのではない。プライスが言うように、人民が選出した統治者について非行ありと判断すれば常に追放できる、そのような権利を人民に認めてしまったら、革命は永久に続くことになってしまう。それはイギリスの国家としての統一性を破壊し、その安寧を脅かすことにしかならない。バークの解釈によれば、本来、革命とは古来より継承された法と自由を維持するために行われるのであり、それを保守するための修正と変更が許されていると考えるべきなのである。

ここで革命という概念について、少し補足しておきたい。ハンナ・アレントが明確に指摘しているが、本来の革命精神と、どのような犠牲を払ってでも新しいことを得たいという近代的な熱望には関係がない。もともと revolution は天文学用語であり、「天体の周期的で合法則的な回転運動」[24]を意味していた。それは「いくつかの周知の統治形態が永遠の循環を続けながら死すべき人間の世界を回転する」[25]という意味であり、旧秩序を破壊して新秩序を創設するという発想とは全くかけ離れている。端的に言えば、革命とは復古である。[26]再びめぐ

（24）ハンナ・アレント著、清水速雄訳（一九九五年）『革命について』ちくま学芸文庫、五七頁。
（25）前掲書、五八頁。
（26）革命の語法について、アレントの議論を参照しておきたい。「一七世紀にはじめてこの言葉は政治的用語として登場するが、そのばあいでも、そ↙

り来たらせることが革命の要諦なのである。この点について、バークは次のように説明している。

新しい政府を樹立するというその発想だけで、わたしたちの心にはもう十分な嫌悪と恐怖が満ちてきます。名誉革命の時代もいまも、わたしたちは自分が所有するすべてのものを先祖からの遺産としたいと願ってきました。ですから遺産の幹や親株のうえに、原木の自然な性質とあわない異質な接ぎ木などしないように注意をはらってきたのです(27)。

これまでわたしたちがおこなってきた改革はすべて、いにしえの姿をそこに映すという原則理念にもとづいて進められてきました。わたしとしては、このさきあるかもしれない改革もすべて、おなじように先例と権威と実例にならって注意深くなされていくことを願っています。願っていますというより、信じています(28)。

国制は長年の試行錯誤を経て徐々に成熟しでき上がってくるものなのであって、その「時効」(prescription)

↙の比喩的な内容は言葉のもともとの意味に近かった。それは、すでに以前確立されたある地点に回転しながら戻る運動、つまり、予定された秩序に回転しながら立ち戻る運動を暗示するのに用いられているからである。したがってこの革命という言葉が最初に用いられたのは、われわれが今日革命と呼んでいる事件がイングランドで起き、クロムウェルが最初の革命的独裁を樹立したときではなく、逆に、一六六〇年、残部議会が打倒され、君主政が復古したときであった。これとまったく同じ意味で、この言葉は、一六八八年、スチュアート家が追放され、王権がウィリアムとメアリーに移ったときに用いられた。非常に逆説的なことであるが、この用語が政治的、歴史的な言葉としてはっきり定まった事件、すなわち「名誉革命」は少しも革命とは考えられず、君主の権力が以前の正義と栄光を回復したものと考えられたのである」(前掲書、五八-五九頁)。

(27)　エドマンド・バーク著(二〇二〇年)、前掲書、六八頁。

(28)　前掲書、六八頁。

によって合法性が獲得されてきたのである。私たちの自由が不足と過剰の両極端に陥ることなく平衡を保っていられるのは「時効」の効果であって、時間の経過においてその都度、漸進的に修正されていると理解できるのである。おそらくバークは自由の前提に「成熟した大人」を置くことなど考えないだろう。そもそも、不完全な人間性に（前提条件としての）成熟さを求めることは無理筋である。世襲的継承による自由という発想は難渋に映るかもしれないが、私たち日本人には馴染み深いのではないかと思う。日本家屋には仏間があって、叱られる時は仏壇の前に正座させられるということがあった。ご先祖様に申し訳が立たないという言葉は重く響いた。仏壇を前にして歴史の悠久に思いを馳せ、自らの卑小を顧みた。沈思のうちに昔と今がつながり、明日の自分を想像すると、自ずから姿勢が正された。知られざる見えざる先人たちを前にして、襟を正して、礼を尽くさなければならないと感じた（筆者はオカルティズムの話をしているのではない）。そのような経験が、私たちにかつてなかっただろうか。現代では、何という古めかしい干からびた発想かと一笑に付されることだろう。が、推論的感覚は有益である。そして、事柄の本質に新旧はない。私たちの生は進歩主義からの嘲笑を撥ねつけて、尚古より開かれねばならない。バークの言葉に耳を傾けたい。

行動するときはいつも、列聖された父祖のまえにいるかのようにすれば、とかく無秩序と過剰につながりがちな自由の精神も、驚くほど厳粛に節度をわきまえたものになります。自由を世襲しているという思いは、生まれながらに威厳をあたえられているという感覚ではげましてくれるのです。[29]

(29)　前掲書、七四-七五頁。

そしてこの意識は、なにかの卓越性をはじめて獲得した人間にいやおうなくつきまとって名を汚すことになる、あの成り上がり特有の尊大さを防いでくれます。これによってわたしたちの自由は高貴な自由、なにものにもとらわれない自由になり、堂々とした荘厳な威厳を帯びてくるのです(30)。

現代社会において「世襲」という言葉を発すると、たちどころに拒否反応が生じてくることだろう。それは選挙における「三バン」（地盤、看板、鞄）という文脈での世襲の印象が強くあるためで、不見識な世襲議員らによる様々な不祥事を思い起こせば、嫌悪感が募るのは致し方ないことだろう。しかし、そのような愚かな事例をもって、バークの語る「世襲」を揶揄することは避けなければならない。世襲とは、先達の経験から知恵を受け継ぐという謙虚な姿勢や、古来より存続してきた権威を敬愛する態度を示していると、筆者は理解している。何かを仰ぎ見るという習慣は大切である。それは畏敬の念と呼ばれる。このような感覚が道徳を生み、自由を育てる。

わたしたちはまだ感情のすべてを衒学や不誠実さに破壊されずに、生まれたままの状態で完全に保っているのです。胸のなかには脈うつ血と肉でできた、ほんものの心臓があるのです。わたしたちは神を畏れます。畏敬をもって国王を見上げます。愛情をもって議会を見上げ、礼をもって為政者を見上げ、崇敬をもって聖職者を見上げ、尊重をもって貴族を見上げます。なぜでしょうか。それは、こうした観念が心に浮かぶときは、そんなふうに感じられるのが自然だからです(31)。

(30)　前掲書、七五頁。

それ以外の感情はすべて偽物で、みせかけで、わたしたちの心を腐敗させ、基本的な徳を汚して、理性的な自由を享受するにはそぐわないものにしてしまいがちです。そうした偽りの感情はわたしたちに、奴隷的で、放埒で、捨てばちで怠惰な暮らしをすることを教えるのです。ほんの数日間の休暇にする低俗な遊びのようです[32]。

これらの引用から、バークは自由の形成において尊ぶとか敬うといった感情を重視していることが分かるが、道徳的自由と尊敬の関わりについて、教育学者オットー・フリードリヒ・ボルノーが行っている議論を参照しておきたい。ボルノーは現象学的解釈学の立場から人間の感情を分析し人間の生を考究した哲学的人間学を展開したことで知られるが、彼の『畏敬』（一九五八年）では次のような主張が見られる。少し長くなるが、これまでの内容を補完する意味も込めて引用しておきたい。

人間は、彼が尊敬する限りにおいて、彼の自然的な生の拘束から解放されて、そこからこれに自己を自由に対置することができる立場を獲得する。それによって彼は、動物的な親しい領域の温かさと庇護から、自由の冷たくて明るい空気の中へと高められる。尊敬の地平は自由の地平である。すなわち、自由な存在者のみが尊敬することができ、そして彼はまた逆に、この尊敬を自由な存在者にのみ捧げることができるのである。だから子どもはまだ尊敬を知らない。なぜならば、子どもはまだ内的自由に達していないからである。同様に下僕根性や奴隷根性は、尊敬することができない。というのも、依存性の意識がそれへの

（31）前掲書、一八八頁。
（32）前掲書、一八八頁。

余地を許さないからである。その根性は、ただ権力者に対する恐怖のみを知っているのであり、この恐怖が彼の振る舞いを導いている。それに反して、尊敬は恐怖とはまったく一致しない。尊敬は、内的な権利平等に基づく自由を前提としているのである。[33]

先入観の知恵

人間は基本的に無知であり、間違いを犯す不完全な存在と言える。そうであればこそ、長い試行錯誤の結果もたらされた知恵の蓄積である伝統を尊重し、歴史に対して謙遜な態度で臨まなければならない。過去からの伝統に含まれている精神の在り方を現在において受容し未来へと手渡していく、そのような志向性とともに道徳に適った自由が形作られる。勘違いされては困るのであるが、これは単なる懐古趣味ではないし、旧習を墨守するということでもない。バークは急進的な革命を否定しているが、漸進的な改革の必要性を説いている。それはアメリカ独立革命の支持[34]からも明らかである。

イングランドの国民は、真に愛国的で自由で独立した精神の持ち主なら、いま自分たちが手にしているものが破壊されないよう守るためになすべき多くのことがあると実感するでしょう。わたしは変更を加えることをまったく否定するわけではありません。ただ変更するなら、そのものを保存するためになされるべきなのです。

（33）　オットー・フリードリヒ・ボルノー著、岡本英明訳（二〇一一年）『畏敬』玉川大学出版部、五〇－五一頁。
（34）　この点については、真嶋正己「アメリカ革命とフランス革命」、中澤信彦・桑島秀樹共編（二〇一七年）『バーク読本――〈保守主義の父〉再考のために――』昭和堂、四二－六八頁が詳しい。

大きな苦情の種があれば、是正するために対策が必要になるでしょう。しかしそのときでも祖先の実例にみならうべきでしょう。変更を加える場合、わたしなら建物を修復するような仕方でおこなうでしょう。わたしたちの祖先は断固とした行動をとるときも、賢明な注意深さ、慎重な配慮、体質的というより道徳的な臆病さを守ることを指導原理にしてきました。わたしの国の祖先は、フランスの紳士たちがおおいに恩恵をこうむっていると誇らしげに語っている啓蒙の光に照らされていなかったので、人間とは無知で誤りやすい生き物だという印象をもって行動したのです。[35]

バークによれば、自由の源泉である社会秩序は抽象的に仮構されたものでなく、自生的に形成された歴史的産物であると考えられる。共同体において歴史や伝統が大切に保存され共有されており、それに発する権威が敬意の対象とされている限り、規律ある自由が保たれる。習慣に裏付けられた道徳規範に結ばれることは、人格の形成にも関わっている。このような社会的紐帯から切り離されると、人間はアトム化する。自堕落であることに抵抗感がなくなると、人の振る舞いは下品になり、それに応じて社会の様相は劣化していく。バークは累積されてきた知恵を「先入観」（prejudice）とも表現している。それは経験知あるいは暗黙知であり、解釈学的に言えば前理解ないし前了解、すなわち歴史の重圧に耐えてきた「崇高な諸原理」[36]である。先入観は歴史的

（35）　エドマンド・バーク著（二〇二〇年）、前掲書、五三四-五三五頁。

（36）　その筆頭は宗教である。バークの政治思想を特徴付けている人間観、国家観、法観念の根底には彼自身の宗教理解がある。それは自由の問題とも密接に関わってくるのであるが、今回は敢えて割愛した。バークのみならずトクヴィルにおいても、自由の問題と宗教の関係は重要なテーマであり、それは筆者の専門領域とも重なってくるので、これから本格的な検討を行っていく予定である。なお、バークの宗教理解については要点をまとめたことがあるので、拙著「崇高の宗教」、前掲書、二二五-二五三頁を参照されたい。

に形成されてきた国民の精神を反映しており、習慣と結び付いた公共的な感情に裏付けられている。それは社会の暗黙の価値に対する道義的責任を発揚する（現代のリベラリズムにおいて問われるのは合意形成されたルールに対する個人の法的責任であり、道義的責任の意識は希薄であると言える）。これによって人は道理に適った自由の行動を取ることができる。安定的な社会秩序を維持するという意味において、先入観は必要なのである。筆者は先入観について、理性を内核にして経験知がそれを包む表皮として幾層にも重なり合っているイメージを持っている。バークは理性との関係を次のように述べている。

わたしの国の思想家の多くはこうした一般的な先入観を否定せず、先入観のなかに生きている潜在的な叡智を掘り出すために知恵をめぐらせます。そして探していたものを見つけても（失敗することはまずないのですが）、先入観の衣を捨ててそのなかの裸の理性だけを取り出したりはしません。内側に理性をふくませながら先入観を維持するほうが望ましいと考えるのです。というのも理性をふくむ先入観は理性に行動を起こさせる動機になりますし、そこにふくまれている愛情によって永続するものになるからです。[37]

緊急のときにも先入観はすぐ動き出します。先入観は精神を、叡智と徳のしっかりした道へと向かわせるのです。そして決断すべき瞬間に人をためらわせたり、疑わせたり、困惑させたりしません。決断しないままにもさせません。先入観があることでその人の徳は習慣になり、その人の義務は本人にとって自然な本性の一部になるのです。[38]

（37）エドマンド・バーク著（二〇二〇年）、前掲書、一八九－一九〇頁。
（38）前掲書、一九〇頁。

「先入観」という言葉も、現代の日本社会では誤解を招きやすい表現である。訳者によっては「偏見」という語が宛がわれることもあり、余計に正しい理解を妨げてしまう。これは〈知性の犠牲〉を強いるような旧弊にしがみつくことではない。例えば、人種的偏見のような差別感情や偏向した考え方を正当化することではない。バークの言う先入観は、先人たちによる賢明な思惟と慎重な判断の集積を意味している。強調されるべきことは先例を重視することであり、伝統を尊重することである（単純な前例踏襲主義とは意味するところが異なっている）。古い意見は時代錯誤であり、全て間違いであるかのように切って捨てる進歩主義的な人々には理解できないことかもしれないが、先入観が「自由という偉大な大義」を基礎付けている。

理性主義の虚栄

バークが革命の急進主義を警戒したのは、それが国家の破壊と社会の荒廃をもたらすと正しく見抜いていたからである。「啓蒙の光」は人間理性を神格化し[39]、完全なる人間への進歩を目指して、理想社会を合理的に設計する。その目的を達成するために、過去は否定され、現在は克服される対象になる。敷衍すれば、既存の制度や組織（フランス革命においては王政と教会）は邪魔であり、徹底的に排斥される。革命の指導的理論である人民主権論において、社会秩序は「一般意志」によって人為的かつ強制的に作り上げることができると考えられる。「一般意志」は多様な意見や複数の利害によって構成されている現実の活動領域を消し去ってしまうので

(39)　フランス革命は宗教（カトリック教会）を全面的に排撃したが、失われた権威を人間理性に見立てて擬似宗教的な祭儀を執行した。一七九三年一一月一〇日にジャック・ルネ・エベールが主導した「理性の祭典」（Fête de la Raison）にせよ、一七九四年六月八日にロベスピエールが主宰した「最高存在の祭典」（La fête de l'Être suprême）にせよ、それらの実態はほとんどカルトと呼んでも差し障りのないお粗末なものであった。

——「特殊意志」（各個人の意志）も「全体意志」（全体の総意）も認められることはない——、社会における実際的な調整機能も砕かれる。仮構された理想社会では完全な平等が目指されることになるが、その結果として人間は自由でいられなくなる。なぜならば、絶対的な平等は人間を画一化（水平化）するので、その実現とともに自由の余地はなくなるからである。つまり、革命は自由を高らかに謳いながら自由を否定しているのであり、その転倒をバークは糾弾したのであった。歴史と伝統に基づいた社会的紐帯を切断したところに、自由の根は存在しない(40)。理論と理念から全く新しい人間社会を創造するという巨大な社会実験がフランス革命の本質であると言ってよいだろう。それを牽引する急進主義、進歩主義、合理主義を生み出した抽象的な理性主義をバークは「野蛮な哲学」と呼び、その本性を虚栄と断じる。そして、その典型であり、実質的に革命を主導したと見なされるジャン・ジャック・ルソーの思想を批判する(41)。

この野蛮な哲学の体系は冷たい心と濁った理解力の産物です。そこにしっかりした叡智がそなわっているわけではなく、およそ趣味も優雅さもありません。この体系によると、人が法にしたがうのは恐怖心と

---

(40)　この点について、ロシアの宗教哲学者ニコライ・ベルジャーエフの指摘も参照に値する。「歴史的継承性を否定することは、歴史的実在を否定し、破壊することであり、生きている歴史的有機体を知る願望をもたないことである。歴史的継承性の否定と破壊は、個人、個別的人間《我》の継承性を否定し、破壊するのとまったく同様に実在に対する殺害企図である」（ニコライ・ベルジャーエフ著、永渕一郎訳（一九八九年）『霊的終末論』八幡書店、一五四頁）。

(41)　ルソーに対するバークの評価は非常に辛辣である。印象的な部分を以下に引用しておく。「われわれはしばらく前にこの虚栄心の哲学の創始者たる大僧正をイングランドに迎えた。私はこの際に彼の動静を毎日仔細に眺めて、彼はその感情を動かし知性を導く原理として虚栄心以外に何一つ持ち合わせていない、との動かし難い確信を持った。彼のこの悪徳はほとんど狂気に近いものであった」（エドマンド・バーク著、中野好之編訳（二〇〇〇年）『バーク政治経済論集――保守主義の精神――』法政大学出版局、五五四頁）。

各人の利害への関心だけによるのであって、その利害についての関心は、各人が私的な思考をつうじて法のなかに見つけるか、あるいは各人の私的な利益にもとづいて見すごしてもいいと考えるのです。かれらのアカデミーの木立ちには、見渡すかぎり絞首台しか見えないでしょう。国家に愛情を抱かせるようなものはなにひとつ残っていません。[42]

人間理性に対する過信から過去（歴史と伝統）を冒瀆し、法による政治から人間の意志による政治へと転換し、文明社会そのものに対する憎悪を駆り立てる思想を、バークは「野蛮な哲学」と呼んだ。それはルソーのみならず、ヴォルテール、ドゥニ・ディドロ、ジャン・ル・ロン・ダランベール、クロード・アドリアン・エルヴェシウスなどの啓蒙思想家も含まれる。ルソーの『学問芸術論』や『人間不平等起源論』、そして『社会契約論』の基本構造を分析した上でバークの批判の妥当性を検討したいところであるが、本章の趣旨ではないのでここでは扱わない。バークが指摘している問題点について、「フランス国民議会議員への手紙」（一七九一年）から引用することで説明に代えたい。

彼らの大目的は、従来人間の意思と行動の規制として用いられてきた各種の原理の代替物を見出すことである。彼らはこうして人間の心の中に、在来の道徳よりは格段に効果的に彼らが考える国家目的に人間を適応させて、彼らの権力の維持と敵の撃滅に今後一層の威力を発揮するはずの強力な性質の感情を発見する。かくして彼らは素朴な義務に代わる、人を嬉しがらせる利己的で誘惑的で仰々しい悪徳を選び出し

（42）エドマンド・バーク著（二〇二〇年）、前掲書、一六八-一六九頁。

た。キリスト教道徳の基礎をなす真の謙虚さは、すべての真正な徳目の、目立たないが深い堅実な土台である。だが彼らは、これの励行には極度の苦痛が伴いその外見はいかにも見すぼらしい、との理由でこれを残らず放棄した。彼らの目標はあらゆる自然的社会的な人間感情を、途方もない虚栄心へ統合することである。虚栄心はその程度がわずかであり細々した物事にかかわる限りでは、必ずしも大した意味を持たないが一旦それが肥大すると、それはあらゆる悪徳の中で最悪のものとなり、あらゆる悪徳を見境いなく見習うに至る。それは人間の全人格を汚染し、信頼すべき真率な性質を何一つ残さない。人間の最良の性質までがそれによって汚染され歪曲されて、最悪なものとして機能する。(43)

バークの議論について、次のように要約したい。人間は歴史や伝統から切り離されて存在することができない。人間の自由や権利も、属する共同体の歴史や伝統を削ぎ落されてしまっては成り立たない。抽象的な原理のみで人間存在を基礎付けることはできず、それを可能とするのは人間理性の傲慢（虚栄）である。人間的自由は具体的な歴史に依拠し、習慣に結ばれて道徳的になる。人間的平等は神の前にある平等に限られており、基本的に社会は不平等である。不平等であるから、真の意味で多様性に開かれており、それぞれに自由の余地が認められる。革命の平等主義によって差異を否定した場合、個性は抹殺され、自由は消失する。バークの思想は相続、世襲、先入観など、用いられる言葉の印象で誤解される懸念があるので、丁寧な解釈が求められる。例えば、世襲的継承を強調するという理由をもって、バークの思想を血統主義と理解するのは間違っている。彼によれば、統治の資格は血統ではなく美徳と叡智に拠る。それを持っている人ならば、身分、境遇、職業、

（43）　エドマンド・バーク著（二〇〇〇年）、前掲書、五五三頁。

商売にかかわらず統治の資格があり、地位と名誉を得ることができる。自由は叡智と道徳に結ばれているから価値がある。品性を堕落させる自由ではなく、人格を向上させる自由にこそ価値が見出されるべきであり、それは世代間をめぐる歴史と伝統に対する畏敬に根差している。古さの根源を嘲って虐げた時、人間の品格は堕ちる。新奇な理念を弄んだ時、人間の威厳は朽ちる。規律ある自由を失った時、人間性が壊れる。以下に引用するバークの警告は、拳拳服膺すべき箴言である。私たち日本人が「蝿」になる日が来ないことを念願する。

自分が祖先からなにを受け継いだか、子孫になにを受け継がせるべきか、考えるのを忘れてはいけません。社会の元来の機構を恣意的に破壊してはいけませんし、限嗣相続財産を削減したり、相続した財産を浪費するのを自分の権利と考えてはいけません。そんなことをしたら後継者に住居ではなく廃墟をあたえることになります。そして祖先の制度を尊重しなかったという手本を自分たちが示した以上、自分たちが作り出したものも後継者は尊重しないということになるでしょう。原則もない安直なしかたで、軽薄な思いつきや流行に従うようにして国家をしばしば、それもあれこれ変革したら、国家のすべての結びつきと継続性は破壊されてしまうでしょう。どの世代もほかの世代と結びつくことができないまま、人はひと夏しか生きない蝿のようにはかない存在になってしまいます。(44)

平等主義の陥穽

デモクラシーにおいては、国王（絶対君主）が独占していた権力は民衆（有権者）によって分有されると考

(44)　エドマンド・バーク著（二〇二〇年）、前掲書、二〇六-二〇七頁。

えられるが、それが権力の行使である限り（行使するのが誰であっても）腐敗からは決して免れない。むしろ多数者の横暴に対しては、誰も歯止めをかけることができない。これがデモクラシーに内在する「多数者の専制」という事態であり、この発想は本来バークに由来し、トクヴィルが主題的に論じた。トクヴィルは革命後のフランスでヴェルサイユ裁判所の陪席判事、その後に下院議員を務めた政治哲学者であり、オディロン・バロー内閣では外務大臣の職責を担ったこともある。二五歳の判事時代、トクヴィルはフランス政府より刑務所制度の視察と研究のためアメリカ合衆国に派遣される。当時のアメリカは自由民主主義の新興国であり、そこで見聞したことに基づいて著されたのが『アメリカの民主政治』（第1巻は一八三五年、第2巻は一八四〇年に刊行）だった。この著作の中でトクヴィルはデモクラシーの功罪について鋭利な分析を行っているが、次のような指摘は今日にも妥当するだろう。

民主的時代の著しい特徴の一つは、すべての人々が容易な成功と、目前の享楽とにあこがれていることである。このことは知的生涯においても他のすべての境涯にも、同様に見出されるのである。平等時代に生活している大部分の人々の心は、強烈であると同時に柔弱な野心で溢れている。彼等は直ちに大成功をかちえたがってはいるが、大なる努力をはらわないですましたいと望んでいる。彼等はこれらの相反する本能によって、直接的に一般的理念に導かれて、その助けによって、少しばかりの努力で極めて広大なものを描写し、そして苦労せずに大衆の眼をひきつけようとしている。(45)

(45) アレクシス・ド・トクヴィル著、井伊玄太郎訳（一九八七年）『アメリカの民主政治』（下）講談社学術文庫、四五頁。

トクヴィルはデモクラシーにおける自由と平等の並存の困難さについて論じている。自由の過剰による放埒は具体的な行動に表れるので、問題化されやすい。ところが、平等の過剰は可視化されにくく、気付いた頃には社会が相当に劣化した時である。トクヴィルは平等主義の弊害について、以下のように警鐘を鳴らしている。

平等がわれわれを脅かしているという危難を認める人々は、注意深い先見の明のある人々だけであるが、これらの人々も普通には、この危難を指摘することをさけている。彼等はその恐れている災難が、まだ遠くの方にあることを知っている。そして、これらの災難を現世代は気にしていないが、今後の諸世代にそれらの災難がふりかかってくるのだと、彼等は思いこんでいる。自由がもたらす諸害悪は、時としては目前に切迫している。それらの害悪は、すべての人々にとって眼に見えており、そしてすべての人々は多少ながら、これらの害悪を感知している。ところが、極端な平等がつくりだしうる諸害悪は、少しずつあらわれてくるにすぎない。それらの害悪は、社会のうちに徐々に滲透してゆく。それらの害悪は、間隔をおいて時たま眼につくにすぎない。そしてこれらの害悪が最も烈しいものになるときには、すでに人々はこれらの害悪に慣れてしまって、感じなくなってしまっている。(46)

さらに、デモクラシーにおける平等主義は、二つの方向性に分岐していくと指摘される。一つは国家や政府の権力が否定されて、完全な自由が成就される無政府主義である。もう一つは個人が埋没し、自由が放棄されて、独裁権力がもたらされる全体主義である。いずれの方向性も真正の自由には逆行している。つまり、平等

(46)　前掲書、一八三頁。

が自由を駆逐するのである。

平等は、事実上、次の二つの傾向をつくりだすのである。第一の傾向は、人々を直接的に独立に導き、そして人々を突然に無政府状態にまでおし進めうる。第二の傾向は、もっと長いもっと潜在的な、しかも確実な道によって、人々を隷従に向って導くのである。[47]

特に後者については、デモクラシーからファシズムが台頭するというロジックを正確に予測した論点であり、重要である。トクヴィルによれば、国家権力への集中と個人の隷属化は平等と無知に正比例して増大するという主張がなされているが、これも正鵠を射ている。彼は平等主義の陥穽を明確に指摘している。つまり、過度に平等を押し進めると、個人の自由が圧せられ、多様性という名目で実態としては画一化が進行し（多様性に反すると言われると沈黙せざるを得ない、要するに多様性という多数者の専制が罷り通る）、差異から成る社会秩序が崩壊する。このようにデモクラシーにおける自由と平等の相剋を鋭く衝いているところにトクヴィルの議論の特徴があるが、現代社会を見通したかのような洞察力には驚くばかりである。

トクヴィルはバークの自由理解を引き継いでおり、「道徳の支配なくして自由の支配をうちたてることはできない[48]」と主張している。これは保守主義における自由理解の基本線であると言えるだろう。イギリスの歴史

（47）　前掲書、五一二頁。
（48）　アレクシス・ド・トクヴィル著、井伊玄太郎訳（一九八七年）『アメリカの民主政治』（上）講談社学術文庫、三六頁。この後に「信仰なくして道徳に根を張らすことはできない」（三六‐三七頁）と続く。

学者であるアクトン卿は、自由とは成熟した文明の繊細な結果であり、それはまた歴史の歩みの中で可能になった倫理的な結果であると述べている[49]。アクトン卿の自由の定義は以下の通りである。

自由とは義務の条件であり、良心の守護者である。自由は良心が成長するのに従って成長するのである。自由の中心的で至上の目的は良心の支配である[50]。

アクトン卿によれば、良心は経験と歴史を通じた訓練の賜物であり、その支配が及ぶにつれて自由は成長する。トクヴィルが道徳の支配と自由の支配の相関について述べていることと符合していると言える。自由、道徳、良心の関係性について綿密な議論が必要だが[51]、また稿を改めて検討することにしたい。これまでの議論の全般について、筆者は次のようにまとめておきたい。

人間は独りではない。誰もが両親から生まれ、育てられた。その恩恵とともに、私たちは生きている。その時系列を延長していくと家系の歴史になり、それは属する共同体の歴史に拡大される。私たちは歴史の中で生きているのであり、恩恵を受けたことへの感謝が生の根源にある。歴史の蓄積は先入観を経て叡智を与え、伝

(49) アクトン卿の自由論については、以下の論稿を参照。佐々木毅（二〇〇〇年）「アクトンと良心の自由主義」『政治思想研究』（政治思想学会）創刊号、五-二二頁、草野路加（二〇一〇年）「アクトンの自由論と良心論」『社学研論集』（早稲田大学大学院社会科学研究科）一五号、一-一四頁。

(50) John Emerich Edward Dalberg-Action, ed., J. Rufus Fears (1988). *Essays in Religion, Politics, and Morality, Selected Writings of Lord Acton*, Vol.3, Liberty Fund, p.491.

(51) 特にヨーロッパ思想史における道徳観念の形成について、思慮（*φρόνησις*）、正義（*δικαιοσύνη*）、勇気（*ἀνδρεία*）、節制（*σωφροσύνη*）の「枢要徳」と、信仰（*πίστις*）、希望（*ἐλπίς*）、愛（*ἀγάπη*）の「対神徳」が、自由と良心との連関の中でどのように融合していくのか丹念に見ていきたい。

統の継承は世襲を経て道徳を与える。叡智は判断力をもたらし、道徳は献身と義務を自覚させる。こうして責任感が醸成されたところに、自由が息づく。本来、自由に生きるということは恩義に報いるということであり、その姿勢が美徳を生み、私たちの生を高貴にする。これが自由の価値であり、高度な自立と自律の意味である。歴史と伝統の前で、頭を垂れて謙虚になる時、私たちは自由を得ることができる。こうした自由を生き切ることができるのか、筆者には自信がないけれども、生を受けた以上は果敢に挑戦してみたい。人生とは必ずしも自己完結的ではないし、未来には残すべきものが確かにあると信じるからである（残してはならないものも多くあるが）。自分の権利は主張するが、義務は果たさない、責任は負わない、そのような自由もどきは虚しく、心を病み、生を倦み、命を腐らせる。今こそ私たちは「死者の民主主義」（ギルバート・チェスタトン）に戻らなければならない。それが現下の、愚者の民主主義から抜け出す方法であり、自由を回復する手立てである。

伝統とは、あらゆる階級のうちもっとも陽の目を見ぬ階級、われらが祖先に投票権を与えることを意味するのである。死者の民主主義なのだ。単にたまたま今生きて動いているというだけで、今の人間が投票権を独占するなどということは、生者の傲慢な寡頭政治以外の何物でもない。伝統はこれに屈服することを許さない。あらゆる民主主義者は、いかなる人間といえども単に出生の偶然によって権利を奪われてはならぬと主張する。あらゆる民主主義者は、いかなる人間といえども死の偶然によって権利を奪われてはならぬと主張する。……民主主義と伝統——、この二つの観念は、少なくとも私には切っても切れぬものに見える。二つが同じ一つの観念であることは、私には自明のことと思えるのだ。われわれは死者を会議に招かねばならない。古代のギリシア人は石で投票したというが、死者には墓石で投票して貰わなければならない。(52)

【参考文献】

アレクシス・ド・トクヴィル著、井伊玄太郎訳（一九八七年）『アメリカの民主政治』（上・下）講談社学術文庫。

Z・A・ペルチンスキー、J・グレイ編、飯島昇藏・千葉眞訳者代表（一九八七年）『自由論の系譜――政治哲学における自由の観念――』行人社。

John Emerich Edward Dalberg-Action, ed., J. Rufus Fears (1988). *Essays in Religion, Politics, and Morality, Selected Writings of Lord Acton*, Vol.3, Liberty Fund.

ニコライ・ベルジャーエフ著、永渕一郎訳（一九八九年）『霊的終末論』八幡書店。

勝田吉太郎（一九九四年）『現代社会と自由の運命』（勝田吉太郎著作集第5巻）ミネルヴァ書房。

ハンナ・アレント著、清水速雄訳（一九九五年）『革命について』ちくま学芸文庫。

ギルバート・チェスタトン著、安西徹雄訳（一九九五年）『新装版　正統とは何か』春秋社。

エドマンド・バーク著、中野好之編訳（二〇〇〇年）『バーク政治経済論集――保守主義の精神――』法政大学出版局。

岸本広司（二〇〇〇年）『バーク政治思想の展開』御茶の水書房。

古賀敬太（二〇〇一年）『近代政治思想における自由の伝統――ルターからミルまで――』晃洋書房。

中野好之（二〇〇二年）『バークの思想と現代日本人の歴史観』御茶の水書房。

小松美彦（二〇〇四年）『自己決定権は幻想である』洋泉社。

中川八洋（二〇〇四年）『保守主義の哲学――知の巨星たちは何を語ったか――』ＰＨＰ研究所。

半澤孝麿（二〇〇六年）『ヨーロッパ思想史のなかの自由』（長崎純心レクチャーズ）創文社。

安達正勝（二〇〇八年）『物語　フランス革命――バスチーユ陥落からナポレオン戴冠まで――』中公新書。

ジョン・スチュアート・ミル著、斉藤悦則訳（二〇一二年）『自由論』光文社古典新訳文庫。

佐伯啓思（二〇一五年）『倫理としてのナショナリズム』中公文庫。

小島秀信（二〇一六年）『伝統主義と文明社会――エドマンド・バークの政治経済哲学――』京都大学学術出版会。

中澤信彦・桑島秀樹共編（二〇一七年）『バーク読本――〈保守主義の父〉再考のために――』昭和堂。

ラッセル・カーク著、会田弘継訳（二〇一八年）『保守主義の精神』（上・下）中公選書。

パトリック・デニーン著、角敦子訳（二〇一九年）『リベラリズムはなぜ失敗したのか』原書房。

小松美彦（二〇二〇年）『増補決定版「自己決定権」という罠――ナチスから新型コロナ感染症まで――』現代書館。

エドマンド・バーク著、二木麻里訳（二〇二〇年）『フランス革命についての省察』光文社古典新訳文庫。

（52）ギルバート・チェスタトン著、安西徹雄訳（一九九五年）『新装版　正統とは何か』春秋社、七六頁。

5 教養の復権

大学教育の迷走

近年、大学の「大衆化」と「市場化」が進行し、いわゆる「大綱化」（一九九一年に施行された大学設置基準の大幅な改正）が引き金となった改革の嵐の中で（その後も特筆される動きとしては二〇〇四年の国立大学法人化があり、最近では二〇二二年の国際卓越研究大学支援法の成立も注視すべきである）、高等教育そのものの著しい変貌が指摘されている[1]。多くの大学が社会的な要求に偏重して、いわゆる就職予備校（企業が求める実務教育に特化）と化すばかりか、高等学校までの学力水準も疑わしいような学生を抱えざるを得ないボーダーフリー大学では、大学のアカデミズムそのものが存亡の危機に立たされている。本章では教養教育の在り方を問題にするが、近頃の学生に関して言えば、教養以前の基本的な常識さえも欠落しているケースが目立つ。基礎学力の低下やコミュニケーション能力の不足は言うに及ばず、礼儀知らずの態度も甚だしいことがある（ここで詳述する余裕はないが、最近はＬＤ（学習障害）を持つ学生への配慮や支援の問題、またコロナ禍以降に生じた新たな問題も浮上してきているように思う）。正直に言って、一体どこまで遡って教えなければならないのか、現場の最前線に立つ筆者は、しばしば戸惑いを覚える[2]。

（1）例えば、藤本夕衣・古川雄嗣・渡邉浩一共編（二〇一七年）『反「大学改革」論』ナカニシヤ出版、佐藤郁哉（二〇一九年）『大学改革の迷走』ちくま新書、吉見俊哉（二〇二一年）『大学は何処へ――未来への設計――』岩波新書などを参照されたい。

かつて、アラン・ブルームは『アメリカン・マインドの閉塞』[3]（一九八七年）において、価値相対主義による魂の貧困化と知の閉塞状態を指摘し、現代の高等教育に対して警鐘を鳴らした。しかし今日では、情報伝達技術の飛躍的な進展によって、これまでの知の在り方が根本的に変質してしまい、大学教育をめぐる事態は、さらに混迷の度を深めている（特にコロナ禍におけるオンライン教育[4]の在り方をめぐっては今後、慎重な分析と評価が求められるだろう）。少し長くなるが、補足説明のため、ジョージ・スタイナーの見解を引用してみたい。

（2）一九八〇年代以降、いわゆる「しらけ世代」の特徴として、「無気力」、「無関心」、「無感動」、「無責任」、「無作法」の「五無主義」が指摘されてきた。それから約四〇年を経た今日、学生の間で「五無主義」は改善されるどころか、むしろ定着してしまった感が否めない。さらに言えば、状況は悪化しているのかもしれない。報道を通して周知されているように、インターネット環境の飛躍的な進歩に反比例するかのような学生の幼稚さが（大学の偏差値レベルを問わず）、例えば「バカッター」と呼ばれるTwitterでの犯罪自慢や悪ふざけ写真の掲載、はたまたLINEやインスタントメッセンジャーアプリによる誹謗中傷や陰湿なイジメ（サイバー暴力）など、反社会的で極めて稚拙な事件を引き起こしている。内輪の話題であったとしても、それがTwitterやLINEあるいはInstagramやTikTokなどを通すやいなや、広く社会に拡散され（ネット社会においても、実社会においても）、もはや自分では取り消すことができないことを、場合によっては損害賠償の責任を求められることなどを、どうして予想できないのだろうか。そのイマジネーションの欠如たるや、深刻なレベルであると言えないだろうか（情報リテラシー教育を行う以前の問題なのではないか）。現代の学生は、無駄な情報（インフォメーション）には通暁しているのかもしれないが、肝心の知性（インテリジェンス）には窮乏しているのではないか。大量の情報を精査するためには、その良し悪しを見分けるための良質の判断材料が必要になる。それは歴史や伝統に裏付けられた叡智が担うべきであるが、巷間そのような考え方は旧態依然のものであると一刀両断にされる始末である。厳しい言い方になるが、現在の学生を取り巻く思潮に関して、筆者は、公私についての感覚が鈍く、恥、外聞、他者の気持ちを察することのできない「無神経」を合わせて「六無主義」と名付けたい。

（3）邦訳では、原著を『アメリカン・マインドの終焉』としているが、ここでは最近の研究状況に鑑みて（藤本夕衣（二〇一二年）『古典を失った大学——近代性の危機と教養の行方——』ＮＴＴ出版、二三六頁の註七四を参照せよ）、『アメリカン・マインドの閉塞』とする。

（4）この点については、飯尾淳（二〇二一年）『オンライン化する大学——コロナ禍での教育実践と考察——』樹村房、堀和世（二〇二一年）『オンライン授業で大学が変わる——コロナ禍で生まれた「教育」インフレーション——』大空出版を参照のこと。

コンピューターの常用、情報理論の普及と検索機能の利用、インターネットと世界的なウェブの遍在、これらは単なる技術革命にとどまらない状況を作り出した。意識そのもの、認知の様態と表現形態、コミュニケーションにおける相互感覚などが、ほとんど計り知れないくらい変容を被ることになり、その根本的変容は数え切れない多様な端末とシナプスを通じて、われわれの神経システムと大脳組織に（おそらくアナログ的に）接続して、隠然として多大な影響を及ぼすからである。言うなれば、ソフトウェアが内部に組み込まれることになったわけで、意識は第二の皮膚を手にしたかもしれないのだ。この事態が学習過程に及ぼす影響はすでに甚大である。小学校の生徒は、ディスプレー画面を通じて、新たな世界へと踏みだす。ラップトップを抱えた学生も、ウェブ・サーフィンをする研究者も同様である。共同研究などにおける意見交換や討議の形態は変わり、記憶容量ももはや昨日の比ではなく、送信の即時性も画像表現のあり方も様変わりを果たした[5]。

このような動きに即応しようとすればするほど、大学教育は後手に回り、迷走するのではないか。と言うのも、変化に対応することと、状況に追随させられることとは異なることだからである。現状は明らかに後者の姿を晒しているとは言えないだろうか（状況に応じてカリキュラムを再編しても、それが運用される時点では、もはや新しい状況にそぐわないというケースが多く見られるから）。カリキュラムの改編について、ブルームの言葉を借りれば、「危険な点は、流行にひきずられること、たんなる大衆化であること、内容に厳格さの欠けることである[6]」。これは何とも傾聴に値する意見ではないか。先を見通した主体的な取り組みを行うためには、

（5）　ジョージ・スタイナー著、高田康成訳（二〇一一年）『子弟のよじわり』岩波書店、二五七-二五八頁。
（6）　アラン・ブルーム著、菅野盾樹訳（一九八八年）『アメリカン・マインドの終焉』みすず書房、三八〇-三八一頁。

やはり大学教育の原点に立ち返るべきであろう。もちろん、「ユニバーサル化」（M・トロウ）や「グローバル化」の潮流に沿った大学改革は不可避的であるが、従来の大学教育の根本理念を見失ってしまっては元も子もない。そこで、本章では大学教育の原点とでも言うべき教養教育に注目する。[7]なお、筆者は教育学を専門とする者ではなく、教養教育に関する研究動向を十分に踏まえることはできていない。以下の論述は、あくまでも大学で教鞭をとる立場からの一つの教育論に留まっていることをあらかじめ申し添えておきたい。

教養とは何か

残念なことに、高学歴であるからといって、高い教養が身に付いているとは限らない。多くの知識量があるからといって、人間性が優れているとは限らない。膨大な情報にアクセスできるからといって、実社会での対応能力が上がるとは限らない。知識を丸暗記するだけでは単に物知りになるだけであって、人間形成においては、得られた知識を経験によって知恵へと深めていくことが肝要である。知識が自らの血肉となって、自己の陶冶に結び付かないならば、教養を身に付けたことにはならない。教養は知識を誇るためのものでもないし（いわゆる従来の特権的教養主義）、学んでも実社会では何の役にも立たないと見なされるパンキョウ（一般教養科目に対する略称）として蔑まされるものでもない。こうしたことに関連して、猪木武徳は次のように述べ

（7）近年、教養教育の意義を見直す意欲的な研究が散見される。例えば、藤本夕衣（二〇一二年）『古典を失った大学――近代性の危機と教養の行方――』NTT出版、新村洋史（二〇一三年）『人間力を育む教養教育――危機の時代を生き抜く――』新日本出版社、林哲介（二〇一三年）『教養教育の思想性』ナカニシヤ出版を挙げることができる。また、日本における教養教育の歴史を実証的に明らかにした研究として、吉田文（二〇一三年）『大学と教養教育――戦後日本における模索――』岩波書店を挙げることができる。

ている。

日本では難関大学に入った者の中にも、定型的な知識は持っているが、日常的でないものにぶつかったとき、応用が効くような良識の力を持ち合わせない、つまり「教養」のない人間がいることをわれわれは次第に実感するようになった。つまり「教育がある」ということと、「教養がある」ということは異なる次元の話だということを知ったのである。大学の卒業証書が最低限の品質保証をしてくれることはあっても、個人の能力全体の保証書とはなりえないことを改めて痛感するようになった[8]。

この指摘は的を射たものであると筆者は思う。高等教育を受けていると言うのならば、同時に高い教養も身に付いていると言えなければならない。そうでなければ、大学生活は単なる時間の経過で終わってしまう。大学教育は今後どのような変革を試みようとも、教育と教養の並行を忘れてはならない。

ここで若干、教養の概念史を一瞥しておきたい。ヨーロッパ文化の伝統では、教養、すなわちギリシャ語で言うところのパイデイア（*παιδεία*）とは（言葉そのものの原義は子供を教育することであるが）、人間本性の覚醒を促し、真の認識へと方向付けるものと考えられている。それは古代ギリシャ思想（ソクラテス、プラトン[9]）に淵源し、中世キリスト教思想に継受された教育理念であり、リベラル・アーツを通して具現化される（パイデイア）に示されるギリシャ思想と初期のキリスト教思想の関係は興味深いが、それを語るには相当の議論を要

（8）猪木武徳（二〇〇九年）『大学の反省』（日本の〈現代〉11）NTT出版、八四-八五頁。
（9）詳細は、上智大学中世思想研究所編（一九八四年）『ギリシア・ローマの教育思想』（教育思想史Ⅰ）東洋館出版社に所収の村井実「ソクラテス」「プラトンの教育論」を参照のこと。

するので、[10]本章では深追いしない）。リベラル・アーツとはサーヴァイル（奴隷的）の反対、つまり自由人の技術（artes liberales）である。それは人を自由にする（非奴隷化する）ための学問である。そして、歴史的には古代ギリシャの弁論家イソクラテスに由来し、[11]古代ローマのキケロを経由して、[12]中世キリスト教世界へと伝達された。そのような流れを受けて中世ヨーロッパの大学では、三学（trivium）の「文法学、修辞学、論理学（弁証法）」、および四科（quadrivium）の「算術、幾何学、天文学、音楽」として設定され、精神、理性、内省の働きを促進するものとして活用された。

こうした発想がドイツの諺に結集されたのであろうか。すなわち「人を自由にするのは教養である」（Bildung macht Frei）という考え方が確立されるようになる。教養は「耕作すること」（cultivation）、あるいは「造成すること」（Bildung）として表現される。英語の動詞 cultivate はラテン語の cultura（耕作）を語源とするが、その意味は「耕作する」から「洗練する」、「教養を付ける」、「交際を求める」へと展開する。魂を耕すことによって人間性が磨かれると、社交性が広がる（唐突ではあるが、ここで学問は人間交際のためと説いた福澤諭吉が想起される）。内外に伸張される精神活動によって、人間性を構築していくこと、それが教養の効用に他ならない。教養を深めることは、自らに潜在する可能性を開拓することであり、それが実現されていった結果、人格というものが造成される。健全な人格形成には、教養という幅広い知識が必要なのである。

（10）この点については、ヴェルナー・ヴィルヘルム・イェーガー著、野町啓訳（一九八五年）『初期キリスト教とパイデイア』（筑摩叢書30）筑摩書房が詳しい。
（11）上智大学中世思想研究所編（一九八四年）、前掲書に所収の脇屋潤一「イソクラテス」を参照されたい。
（12）この点については、前掲書に所収の松尾大「キケロ」が詳しい。

ドイツ語で教養を意味するBildungという言葉は一八世紀の新人文主義（Neuhumanismus）において頻出される概念であるが（例えば、ヨハン・ゴットフリート・ヘルダー、アレクサンダー・フォン・フンボルト、フリードリヒ・シュライアマハー）、もともとは一三世紀のドイツ神秘主義（マイスター・エックハルト）[13]に起源を持ち、人間が神の似像（Gottes Bild）になることを意味したとされる。[14]少しばかり説明を補足しておこう。

神学的に言えば、人間は神の似像（imago Dei）として創造されたが、そのことは人間の原罪（peccatum originale）によって毀損されてしまっている。したがって、人間には、神の本性的像であるキリストに倣って（imitatio Christi）、その像に類似していくことが求められる。Bildになろうとする努力は生の目的であるとともに、教育の根本理念にも底流していると理解できよう。後に、こうした発想はルネサンスにおける理想的な人間像（uomo universale）に取って代わられ、人間の潜在力が重視されるようになる。つまり、内に秘められた可能性を開花させて、人間性を実現させていくことが理想的となる。以上の議論をまとめておくと、超越的な自己実現であるにせよ、内在的な自己実現であるにせよ、徹底した自己陶冶を目指す点では変わりなく、それが教養の本質的な役割をなしてきたことが分かる。

次に、日本における教養について取り上げてみよう。竹内洋は『教養主義の没落』の中で（刻苦勉励的な農

（13）上智大学中世思想研究所編（一九八五年）『中世の教育思想』（教育思想史Ⅳ）東洋館出版社に所収の上田閑照「マイスター・エックハルト」を参照されたい。

（14）エックハルトのBild概念には、「神性への突破」と魂における「神の子の誕生」の同時性が含まれており、人間が努力して成し遂げられるような単純なものを想定していない。おそらく、教養の自己陶冶という意味合いは、ヘルダーのEmporbildung zur Humanitätといった発想から明確化されていくものと思われる。Bildungの概念史的考察については、以下を参照されたい。E. Lichtenstein（1971）. Bildung, in: HWPh（*Historisches Wörterbuch der Philosophie*）, Bd.1, Schwabe Verlag, Basel, S.921-937.

村的エートスを背景としたエリート学生文化としての）教養主義を「哲学・歴史・文学など人文学の読書を中心にした人格の完成を目指す態度[15]」と定義しており、それが没落していく過程をつぶさに検証している。そして、いわゆる旧制高校的ないし帝大文化的な教養主義の蘇りを期待するのは時代錯誤であるが、教養の意味と機能を見直すことは重要であると主張している。竹内は井上俊の文化論を援用しながら、文化と同じように教養にも「適用」（「人間の環境への適合を助け、日常生活の欲求充足をはかる[16]」作用）、「超越」（「効率や打算、妥協などの実用性を超える働き[17]」）、「自省」（「みずからの妥当性や正統性を疑う作用[18]」）の三つの作用が認められるが、肥大化した「適用」機能によって、自省的懐疑主義は批判され、超越的理想主義も相対化されたと指摘する。要するに、適応的実用主義が優位に立ち、教養主義は「大衆平均人（サラリーマン型人間像）文化と適応の文化（実用主義）の蔓延[19]」という形で終焉を迎えたのであり、さらに言えば、「大衆文化への同化主義」としての「キョウヨウ主義[20]」と化したということである。そうした分析を踏まえて、竹内は文化の自省機能と超越機能の回復を図るべく、新しい時代の教養教育の在り方を模索するよう提言している。

筆者の構想では、教養の自省機能を現実の自己認識（学生にとって置かれた状況を客観的に認識すること）として、超越機能を理想の追求（学生に対して夢や希望を喚起すること）として、そして真っ当な意味での適

(15)　竹内洋（二〇〇三年）『教養主義の没落――変わりゆくエリート学生文化――』中公新書、四〇頁。
(16)　前掲書、二四〇-二四一頁。
(17)　前掲書、二四一頁。
(18)　前掲書、二四一頁。
(19)　前掲書、二四〇頁。
(20)　前掲書、二四〇頁。

用機能を公共性の理解（学生が社会に参加するために必要となる人間力の育成）として位置付け、それぞれの回復を図りたいと思う。また、教養主義を従来のような凝り固まったイズムとして捉えるのではなく、当人のリズムとして考えたい。リズムの原義はギリシャ語のリュトモス（*ῥυθμός*）、すなわち「物の姿、形」を意味する。つまり、教養とは、その人の姿や形、立ち居振る舞い、固有の在り方を作り上げるものであり、生を律動的に（リズミカルに）するものである。畢竟するに、人間形成の土台を据えるものとして、教養は不可欠である。この点をジョン・ヘンリー・ニューマンの大学教育論を手がかりにして、さらに掘り下げて考えてみたい。

ニューマンの大学論

一九世紀のイギリスで活躍し、オックスフォード運動の指導者としても知られるニューマン[21]には、多くの神学的著作とともに、大学教育論の古典として名高い『大学の理念』という著作がある。[22]これは、彼がダブリンの

(21) ニューマンは神学者、説教家、哲学者、教育者、文筆家。銀行家の父とユグノーの子孫の母との間に生まれる。一五歳の時に回心を経験し、一八一八年に英国国教会の司祭に叙階された。オックスフォード運動（キリスト教教義と霊性の復興運動）の精神的指導者として活躍（Tracts for the Times に寄稿）するが、一八四五年にカトリックに転会（改宗）したことで周囲を驚かせた。一八七九年に教皇レオ13世により枢機卿（Cardinal）に選任される。代表的著作として、『四世紀のアリオス派』（一八三三年）、『キリスト教教義発展論』（一八四五年）、『大学の理念』（一八五二年）、『アポロギア』（一八六四年）、『承認の原理』（一八七〇年）などが挙げられる。なお、ニューマンは二〇一〇年に列福され、福者となったことは記憶に新しい。

(22) J. H. Newman (1982): *The Idea of a University*, University of Norte Dame Press. 原文を参照しつつも、本稿はニューマンの専門研究を意図していないので、引用には邦訳であるJ・H・ニューマン著、ピーター・ミルワード編、田中秀人訳（一九八三年）『大学で何を学ぶか』大修館書店を用いる。この邦訳は抄訳であり、全訳の刊行が切望される。なお、ニューマンの大学論については、ヤーロスラフ・ペリカン著、田口孝夫訳（一九九六年）『大学とは何か』（叢書ウニベルシタス539）法政大学出版局が網羅的な研究を行っている。国内では、長倉禮子「ニューマンの大学論をめ↖

カトリック大学総長就任に先立って大学教育の目的について述べた九回にわたる連続講演と、在任中の特別講義を組み合わせたものである。成立事情から明らかなように、彼の大学教育論には時代的な制約およびキリスト教的な背景に由来する特殊性もあるが、それを越えて現在の大学教育一般において通用する普遍性もある。[23]先ず、彼の議論のポイントをおさえておきたい。

ニューマンによれば、大学教育の目的は、知性の涵養、精神の修練、視野の拡張、社会性の向上などであり（端的には、伝統的な紳士＝「決して苦しみを与えない人」の育成）、そのために大学は研究機関であることよりも、個々人の人間性を高めて人格を形成していく教育機関であることが求められる。そこでは、いわゆる実用教育とは対照的である人文知ないし古典の習熟に努めるリベラル・アーツ、つまり教養教育が中心とされねばならない。ニューマンは第7講演「職業的技能との関係から見た知識」（Knowledge Viewed in Relation to Professional Skill）の中で、次のように語っている。

> 「大学」における訓練は、偉大ではありますが平凡な目的を達成するための、偉大で平凡な手段なのであります。それが目指すところは社会の知的風潮の高揚、公共心の涵養、国民の趣味の純化であり、民衆

↙ぐって」、岡村祥子・川中なほ子編（二〇〇〇年）『J・H・ニューマンの現代性を探る』南窓社、一二八‐一五六頁、神谷高保「ニューマンの大学教育論」、日本ニューマン協会編（二〇〇六年）『時の流れを超えて――J・H・ニューマンを学ぶ――』教友社、七三‐八八頁、川中なほ子「人格共同体としての大学教育」、前掲書、八九‐九四頁などの先行研究がある。しかし、吉永契一郎（二〇一一年）「ジョン・ヘンリ・ニューマンの『大学論』」『広島大学高等教育開発センター大学論集』第42集、二六五‐二七八頁所収の論稿が指摘するように、日本におけるこれまでの研究はニューマンの教育論の土台となっている神学思想についてあまり考慮しておらず、その点での分析が不十分であると言わざるを得ない。今後はニューマンの「教育の神学」を本格的に再構成しなければならないであろう。

（23）ペリカンも、そのような評価をしている。ヤーロスラフ・ペリカン著、前掲書、一四頁を参照。

の熱狂に真の原理を与え、民衆の向上心に確固たる目的を与え、時代の風潮を拡大し、それに節度を与え、政治力の行使を促進助長し、私生活における交際を洗練することです。自分の見解とか判断をはっきりと意識的にみつめる力を与え、それを発展させていくうちに真理を与え、それを表現する雄弁を、それを主張する力を与えるのが教育なのです。教育は人間にものごとをあるがままの姿でみつめ、まっすぐに要点へとつき進み、思考のもつれをほどき、詭弁を看破し、見当違いなものを取り除くよう教えてくれるのです。教育は人がどのような職に就こうとも、それを立派にこなし、どのような問題をも易々と克服するよう導きます。それは他者に適応する法、他者の気持ちに共鳴する法、他者に自分の気持ちを伝える法、他者に影響を及ぼす法、他者と理解し合う法、他者を赦す法を教えてくれます。このような教育を受けた人は、どんな社会にあっても気楽にくつろいでいられますし、あらゆる階級と共通の立場を有しているのです。[24]

このような目標を達成するために必要となるのは「知識」教育であるが、この「知識」に関するニューマンの理解（自己目的としての知識）が独特なのである。ニューマンの第5講演「自己目的としての知識」（Knowledge Its Own End）から引用してみよう。

「知識」というものはそれ自体の目的たり得るのです。人間の精神は、いかなる種類の知識といえども、それが真の知識である限りそれ自体の報いとなるように作られているのです。そしてこのことがすべての知識にあてはまるとすれば、それはかの別格の「哲学」にも真実であり、その哲学が知識のあらゆる部門

(24)　J・H・ニューマン著、前掲書、一二三-一二四頁。

の真理、学問と学問の関係、その相互の立場、それぞれの価値を包括的にとらえていると私は考えます。そのような知識習得に、私たちの求める他の諸目的、つまり富とか権力とか名誉とか便利で快適な生活と比べて、どのような価値があるかについてはここで論じるつもりはありません。しかし、次のことは主張したいし、また明らかにするつもりです。このリベラルな、哲学的知識は本質において真に紛れもなく立派な目的であって、それを獲得するための多くの思索とそれを達成するための多くの苦労を埋め合わせるのです。(25)

つまり、相互に関連している知識の全体性を探究することが、精神の拡大と真理の照明につながるのであり、知識を一つの統一体として哲学的に考察することこそ、リベラルな教育の在り方なのである。

ニューマンが用いる「哲学」という表現にも独特の意味合いがある。ニューマンは第6講演「学識との関係から見た知識」(Knowledge Viewed in Relation to Learning)で、次のように説明している。

広く認められた用語がありませんので、私は知性の完成ないし徳ということを、哲学、哲学的知識、精神の拡大、あるいは啓発という名称で呼んできました。これらは今日多くの著述家がよく用いる言葉です。しかし、どのような名称を与えようとも、歴史的に考えてみると、「大学」の本分はこの知性の育成をその直接の目的とすることであり、また知性の教育に専心することだと私は信じます。(26)

(25)　前掲書、九一一〇頁。
(26)　前掲書、四三頁。

おそらくニューマンが繰り返し言及している「哲学」は、字義通りの意味で受け取ってよいものであろう。すなわち、哲学（φιλοσοφία）することは、知恵（σοφία）を愛する（φιλεῖν）ことに他ならない。知恵をどのような程度に、どのような仕方で愛するのか、その態度が、その人の在り方を決定する。筆者は、愛しんだ知が自らの徳を育むのだと解釈したい（伝統的な知徳合一こそ、実現されるべき理想なのではないか）。

ニューマンによれば、知性とは、それを持つこと自体が実質的な善なのであって、その卓越性に応じて、社会や現実に様々な恩恵を与えるものである。要するに、知識を獲得すること自体が、人間の本性の直接的な要求を満たすのである（これはカール・ヤスパースの言う「根源的知識欲[27]」に近いのではないか）。つまり、ある人にとっての知識とは、その人の精神の在り方に他ならない。したがって、獲得された知識から実利的な意味において何も生まれてこなくとも、それは求めるに値するのである。この視点が現在の大学教育に欠けていると、筆者は思う（つまり、学業の成果を求めるのに性急すぎるきらいがある）。自己目的としての知識の習得こそ、人間の品性の向上をもたらすのであり、結果的に、より洗練された人格の形成に資するのである。ニューマンは次のように語っている。

> 大学は道徳の効果や機械的生産をもくろむのではありません。大学は技術や職業のために精神を訓練するのではありません。大学の役目は知性の育成なのです。この知性の育成という地点に辿り着いた時、大学はその学徒たちに別れを告げることになりますが、これだけのことを成就した時、その任務を果たしたことになるのです。大学は知性がどんな事柄においてもよく理性を働かせ、真理へ到達しようと努め、そ

（27）カール・ヤスパース著、福井一光訳（一九九九年）『大学の理念』理想社、四一頁。

れを把むように教育するのです[28]。

知性の育成という一点に集約される教育、それがニューマンの考える大学の使命であると、まとめることができるだろう。そして、この観点から、ジョン・ロックはニューマンの論敵となる。それは、どのようなことを意味するのか。例えば、ロックは『教育に関する考察』の第20章「学習と勉学について」の164節で次のように述べている。

父親が息子に商業をやらそうと思っているのに、息子にそのローマ人の言葉〔引用者注：ラテン語のこと〕を習わすために自分の金と、息子の時間を浪費しているほど滑稽なことが他にありましょうか。……子供が計画されているその生涯に、けっして用いるはずがないような語学の基本を、無理に習わせられて、一方人生のあらゆる境遇にあっても非常に役に立ち、大抵の商売には不可欠に必要な、上手に字を書くことと計算をすることを、その間じゅう怠っているということです[29]。

つまり、ロックは教育の有用性（usefulness）を生徒の将来の職業や商売に限定して論じているのである。これに対してニューマンは同時代の神学者たち、例えば、オックスフォード大学オリエル学寮のフェローであったジョン・デイヴィソンや同学寮長コプルストンの見解を引証しつつ、ロックが勧めるような職業訓練のため

(28)　J・H・ニューマン著、前掲書、四四頁。
(29)　ジョン・ロック著、服部知史訳（一九六七年）『教育に関する考察』岩波文庫、二五三頁。

の専門教育を知性の修練よりも優先してしまった場合に生じる悪影響について指摘している。ある職業に関わるだけの専門教育へと重点化していけば、特定の場所で役立つ能力しか得られないことになる。つまり、別の職業に変わった場合、もはや対応できなくなる。重要なのは、どのような職業でも、どのような場所でも、どのような状況でも使うことができる能力の習得である。ニューマンによれば、その能力とは「判断力」(judgement) に他ならない。判断力こそ、要点を即座に把握して、選択の拠り所となる、知的な能力の中で最も重要なものと見なされる。

ニューマンの理解では、判断力が備える正確さ (exactness) と活力 (vigour) という習性 (habit) は、知性の修練によって鍛えられる。知性の修練には、歴史、道徳哲学、詩といった知識の摂取が必要であり、それを提供する教養教育が職業訓練のためにも有用であるとされる。この場合の有用性は商業的な意味ではなく、おそらく人間的な意味で捉えられるべきだろう。ニューマンの主張を引用したい。

思索し論究し比較し識別し分析することを学んだ人、趣味を洗練し、判断力を養い、精神的洞察力を研ぎすました人が、実際直ちに法律家とか弁護士、雄弁家とか政治家、内科医、地主、実業家、兵士、技術者、化学者、地質学者、古物研究家になれるわけではありませんが、そうした人は私が引き合いに出した学問や職業のうちのいずれか一つ、あるいは何であれ、他人には思いもよらぬところへでも自分の趣味や特殊な才能に合ったその他の学問や職業に、気軽に、優雅に、手際よく、そして首尾よく従事することが出来る、そういう知性の状態に置かれているでありましょう。ですから、この意味で（私はこの大問題に関してごくわずかしか述べておりませんが）、精神の修養は断固として有用なのです[30]。

知性の修練の手立てとなる歴史、道徳哲学、詩といった人文知は、即座に利益をもたらさないかもしれない（はっきり言えば、ほとんど実利性はない）。しかし、教育が提供する内容として、商業的な意味で役に立つものだけでは困るのである。その人の土台を築き、善に貢献するよう促していくものが必要なのである。ニューマンは、その必要を満たすものが人文知であり、それは、それ自体が報いであるような知識＝教養知として有用であると強調する。[31] 少し長くなるが、ニューマンの見解を以下に引用しておきたい。

> 涵養された知性はそれ自体で一つの善ですので、それが取り組むあらゆる仕事に力と恩恵をもたらし、私たちをより有用にし、優勢にする、こう私は申しているのです。私たちには人間として、人間社会に負うている義務があります。また、属する国家に、活動する領域に、様々な形で関わっている個々人に、そして生涯において次々と出合う人々に対して義務を負うています。そして、「大学」本来の目的である、か

(30) J・H・ニューマン著、前掲書、一〇六頁。

(31) しかしながら、ニューマンは教養教育の絶対化を忌避している。換言すれば、リベラル・アーツを相対化している。と言うのも、いわゆる哲学的知識だけでは、真の人間形成には不十分であると考えられるからである。知性の涵養によって威力を発揮する理性が、世間において現実的な機動力と見なされると、それは自らを独立した至高のものと位置付けるようになり、それ以外の権威を一切必要としなくなる。言わば、自ら一つの宗教を樹立するのである。それが「哲学的宗教」ないし「理性宗教」と呼ばれるものである。その特徴は「良心の不感症、罪という観念自体に対する無知、自らの道徳的一貫性の観想、恐怖の全くの欠如、曇りのない自信、沈着冷静、冷ややかな自己満足」（前掲書、一五三頁）である。こうした在り方は、人間の態度を傲岸不遜とし、人間の徳を表層的なものとする。そして結果的に、人間の内面の深化が望めなくなる。ニューマンによれば、言葉の真の意味における「良心」は道徳観や道徳的嗜好で置き換えられない。知的に洗練されることは謙虚さを身に付けることにならず、立派な良識といえども良心の代用とはならない。いわゆる哲学的知識、教養教育、リベラル・アーツがどれほど啓発的であり、どれほど深みのあるものであっても、人間の内面において情緒、動機、活力を生み出すことはできない。哲学的知識によって知性を高め、判断力を養うという教養教育の根底には、宗教的次元に根差した良心が求められるのであり、哲学知と神学知の協働によって十全なる教育が可能となる。この点から、教養教育は宗教教育の在り方をも問うことになるが、両者の関係については別の機会に取り上げたい。

の哲学的ないし一般教養教育（そう私は呼んでまいりました）は、職業的関心事に最優先権を与えることを拒むとしても、市民を作り上げるためにその種の関心事をあとまわしにしたにすぎないのです。この哲学的な、リベラルな教育は博愛という、より大きな利益の促進に寄与すると同時に、一見した所、見くびっているかにみえる単なる個人的な目的を首尾よく遂行する準備をしてもいるのです[32]。

教養教育では、すぐに役立つような技術的な知（例えば、パソコン、英会話、簿記、各種の資格など）を与えることは意図されていない。つまり、必ずしも手段に関わるスキルを示すことはできない。むしろ、教養知は目的に関わる知を鍛えて、深めることを目指している。それは生の意味を探求し、問題の本質を追究し、状況を批判的に検討しようとする（要するに、問題意識の倫理を高める）。したがって、それは経済効率としての有用性や数値化される採算性そのものを反省し、マンモニズム（拝金主義）の毒牙に抗う意図を持っている。つまり、本当の意味での実用教育を活かすものが教養教育なのである。どのように生きるのかという根本的な姿勢を問うことができなければ、一体、教育に何の価値があると言うのだろうか。そうした意味において、教養教育の復権が求められねばならないのである[33]。では、それは具体的にどのように行われるのか。次節で検討

(32)　前掲書、一〇八頁。
(33)　筆者の見解では、教養教育は職業倫理に接続され得る。職業倫理の運用は、個人の判断力にかかっている。どのように理論的に基礎付けられた職業倫理であっても、それを実際に遂行する個々人に自覚がなければ、意味がない。例えば、組織の倫理監査を高度にシステム化できたとしても、そこで働き組織を構成する個々人に責任感がなければ、無用の長物であろう。社会人が身に付けておくべき職業倫理を支えるのが個人の判断力であるならば、大学教育は知性の修練を優先的に行わなければならない。つまり、判断の適正さは、知性の修練によってでしか磨かれないからである。その養分となる人文知は総合知であり、それを持って初めて専門知が活かされる。いくら専門知を積み上げても、教養知という土台がなければ脆弱であるし、倫理へ接続する良識が欠如すれば、全てが歪んでしまうだろう。オルテガが専門教育への偏重を暴挙と断じたことは肯綮に中っていよ↖

してみたい。

教養教育の復権

ブルームは、教養教育の方法として「グレート・ブックス」（いわゆる古典）を教授するよう提案している（彼が古典教養主義の代表格と目される由縁である）。

この方法に則った一般教養教育とは、一般に認められた古典文献を読むこと、とにかく読むことである。そして問題が何かを、また古典に近づく方法を、テクスト自身に語らせることである——つまり古典を出来合いの範疇に押し込んだり、歴史の産物として扱ったりせず、作者が望んだとおりの読み方をしようとすることである。(34)

学生が本を読まなくなったと嘆かれて久しいが、教育する側が読書の魅力を十分にアピールしきれず、またその習慣化に努めてこなかったことにも責任の一端があろう。今では電子書籍の普及により、優れた古典が廉価で手に入り、いつでもどこでも読める環境が整備されており、充実した読書経験に導かれる機会が増えるかもしれない。そのためにも先ず、教員は読むべき古典名著の類を紹介する必要がある。引き続きブルームから引用する。

↙う。詳しくは、オルテガ・イ・ガセット著、井上正訳（一九九六年）『大学の使命』玉川大学出版部を参照されたい。

(34)　アラン・ブルーム著、前掲書、三八一―三八二頁。

古典がカリキュラムの中心部を形づくっているところではどこでも、学生は夢中になり、満足しているということ、自分たちが独自な、自らの希望に副ったことをやり、他のどこからも得られない何ものかを大学から得ていると感じている、ということである。この特別な経験という事実がまさに――学生はこの経験を越えたどこかに導かれるわけではないが――学生に新しい選択肢と研究そのものに対する敬意をもたらすのである。学生の受ける利益は、古典についての自覚である――これはとりわけ、いま問題にしている何も知らない学生たちにとっては重要な点だ。古典に対する自覚とは、すなわち、大いなる問題が依然として存在するときに、何が大いなる問題であるかを知っていることである。また学生は、少なくとも、大いなる問題に答えるのにどのように取り組んだらいいか、そのやり方の模範を手に入れる。そしておそらく何よりも重要な利益は、共有された経験や思想といういわば資金であって、これを元手にして学生たちのたがいの友情が育まれるのである。古典の賢明な利用に基礎を置くプログラムは、学生の心に王道をもたらしてくれる。(35)

古典の世界に目を開くことができれば、人生に対する所作が整ってくる。つまり、人生の問題に気付くということ、それに向かう気構えができるということ、それを解決する手立てを得られるということである。筆者の理解では、古典についての自覚は、世界における自己の発見を意味する。それは単なる読書なのではなく、ニューマンが言うところの知性の涵養という経験そのものなのである。文字を読むのではなく、文字に擬えて生きるのである。書物を通して多彩な人生模様に思いを馳せて、人情の機微に触れるのである。そのような意味において、古典の読解こそが人文知の王道なのである。それを欠いてしまっては、様々な問題に対処する応

(35)　前掲書、三八二頁。

用知は身に付かないであろう。この点について、猪木武徳は次のように主張している。

教養の衰退が現代社会に与える影響は意外に大きい。それはマニュアルにはない、非定型的な判断のできる人材を育てるための重要な手段のひとつを失ったということを意味する。時間という厳しい審判者の裁定をくぐり抜けてきた古典がわれわれに教えてくれるのは、人間と社会についてのマニュアル化することのできない深い洞察であろう。この洞察がいざというときの非定型の判断能力を高めてくれるとすれば、古典教育を失うことは、そうした判断力をも失うということを意味する。[36]

筆者は講義において古典的著作を扱うことが多いが、初学者に向けてある本を紹介することが定番となっている。[37]それは日本の近代化を推進した明治時代の若者たちに多大なる影響を与えた書物である（当時一〇〇万部売り上げたことでも知られている）。明治の六大教育家の一人に数えられる中村正直が昌平坂学問所の教授時代に翻訳した『西国立志編』[38]という本である（一八七二年の「学制」公布の時点では教科書として採用されていた）。原著はイギリスの作家サミュエル・スマイルズの『自助論』（一八五九年）で、そこには欧米人のサクセス・ストーリー（ほとんどが史実に基づいたもの）が満載されている。内容（現代語訳の章立て[39]）をピック

(36)　猪木武徳、前掲書、一三四頁。
(37)　本章では扱わないが、以前は新渡戸稲造『武士道』の原著を講読することがあった。新渡戸の語る武士道は倫理体系であり、義、勇、敢為堅忍の精神、仁、礼、誠、名誉、忠義、克己などの徳目が論じられている。およそ現代の日本人には馴染みのないものばかりである。
(38)　サミュエル・スマイルズ著、中村正直訳（一九八一年）『西国立志編』講談社学術文庫。
(39)　サミュエル・スマイルズ著、竹内均訳（二〇〇二年）『自助論』知的生きかた文庫を参照。しかし、これは抄訳である。完訳については、サミュエル・スマイルズ著、金子一雄・藤永二美共訳（二〇一八年）『［完訳版］セルフ・ヘルプ　自主独立の精神』ＰＨＰ研究所がある。

アップすると、自助の精神、忍耐、好機、仕事、意志と活力、時間の知恵、金の知恵、自己修養、素晴らしい出会い、人間の器量などが取り上げられている。ここで一貫して述べられているのは、人生の成功の鍵は自助努力にあるということである。本書の冒頭に出てくる「天は自ら助くる者を助く」（Heaven helps those who help themselves）というスローガンは、あまりにも有名である。『自助論』は、勤勉、正直、感謝を通して人格が鍛錬されること、自分の意志と努力が成長の鍵となることを、多くの人物評伝に基づいて説明している。そして、成功の秘訣は決意、集中、努力にあることを繰り返し語っている。生きていく上で大切なことは今も昔も同じなのであり、試行錯誤を重ねた末の先人の経験則は熟考に値する。自分自身の生き方や考え方をトレーニングしたいと思うなら、先人の成功例に学ぶことが近道であると思う。

筆者が担当する演習の一例を挙げておこう。あらかじめ範囲を指定しておき、それを一読してくることが出席条件となる。おびただしい数の登場人物が出てくるので（必ずしも有名人ばかりではない）、固有名詞について調べておくことも課題になる。演習では、それぞれのエピソードの時代背景を説明し、なるべく歴史的人物に対する距離感を縮めるようにしている。また、偉人は最初から偉人なのではないこと、むしろ劣等生と見なされた人間がどのようにして偉人になり得たのかというプロセスに注視した読み方を行っている。歴史的な英雄を身近に感じさせること、できないと思われたことが実際に実現できたということ、その手法を学ぶことによって成功体験をイメージさせること、さらに現在の自分自身に対する脚下照顧を促すこと、などを目指している。また、先人が経験したような苦境に直面したと仮定して、自分ならばどのように切り抜けるのかといったシミュレーションもレポートとして課している。このような作業によって、成功者の生き方のエッセンスを自分の読解力で把握できるように指導しているつもりである。さらに、信念は力なり、道なくば道をつくる、金は人格なりといった名言や格言などは、ことあるごとに暗記させている。それは読書の習慣化に役立ち、生きるために必要な基本的な心構えを養い、複雑な人間社会を生き抜くための応用的な知恵を授ける。ここで、ブルームの意見を引照しておこう。

一般教養教育をうけた者とは、安直で好まれやすい解答に抵抗できる者のことである。それは彼が頑固だからではなく、その他の解答も省察に値することを知っているからである。書物を学ぶことが教育のすべてであるかのように信じるのは愚かであるが、読書はつねに必要であり、自分にもなれる高貴な人間類型の生きた見本が乏しい時代においては、とくに必要である。(40)

教養教育は、古典を中心とした読書経験を習慣化することによって、知性の修練に努める。それは精神を拡大し、知を受肉化させる手立てとなる。これはまさに、ニューマンが考えるプログラムに他ならない。

精神の拡大は、多くのそれまで未知であった観念をただ単に受動的に受容することにではなくて、なだれ込んでくるそれら新しい観念に対して、またその只中で直ちに反応する精神の力強い働きにあるのです。それはものを形成する力の働きであって、私たちが獲得した知識の内容に秩序と意味を与えるのです。それは知識の対象を自らのものにすることであり、分かりやすい言葉を用いれば、受け取ったものをそれまでの思想の実体へと消化することです。そして、これなくして拡大もあり得ないのです。心に入ってくる

(40) アラン・ブルーム著、前掲書、一三三頁。

諸々の観念を互いに比較し、それを体系化することがなければ、拡大などあり得ません。ただ学ぶというだけでなく、学んだことをすでに知っていることと照合する時、その時、私たちは精神が成長し拡張しているのを感じます。啓発(イルミネーション)とは、単に知識が増えるということではなく、すでに私たちが知っていることと現に学び取っていること、つまり習得したものの蓄積すべてが心の中心へと引き寄せられる運動であり、前進なのです。[41]

今日、学士課程教育の質保証のために、学習成果の可視化が喫緊の課題とされている。教育目標達成の数値化も検討されている。筆者は、そうした社会的要求の妥当性を理解するし、そのことに大学が取り組まねばならない必要性も痛感している。しかし、経験的に言えることだが、教育の成果は測れないものの方がはるかに多いのである。即席の知識ではなく、即効性のなさそうに見える教養こそが、将来、その人を活かすことがある。長い目で成果を見守るという鷹揚さ、すなわち大学人としての矜持が問われている。次に引用するスタイナーの指摘は表現として辛辣なところがあるが、現状に即しており、言い得て妙である。

親身に教えるということは、人間の心の最も深く敏感なところに踏み込んで直に触れることにほかならない。子供であろうと大人であろうと、その不可侵の人格の最も感じやすい深奥部に通路を穿つ試みなのだ。教師は教え子の心に侵入してそれを蹂躙する。さらにそれを破壊し、洗脳して新たに作り上げようとまでする。貧弱な教育、日常茶飯と化した形式的な授業、あるいは有用性のみを目的とした（意識的であ

（41）J・H・ニューマン著、前掲書、五七頁。

ろうとなかろうと結果的にシニカルな）教育とは悲惨な破壊行為にほかならず、生徒・学生の期待と夢を根こぎにしてしまう。悪い教育は、文字どおり殺人的であり、罪悪そのものである。生徒や学生を委縮させ、学ぼうと胸膨らませた事柄の魅力を奪って精彩のないものにしてしまう。子供であろうと大人であろうと、その豊かな感受性に、倦怠、アンニュイというあの最も浸食性の強い酸や沼気を徐々に注ぎ込む。やる気のない教育によって、なんと多くの人々が、数学や詩や論理から遠ざけられたことか。やる気のない教育が起こるのは、教師自らの知的欲求不満の（おそらくは無意識であろうが）捌け口となった場合であり、それは教師の知的凡庸さを証明する。[42]

これは、教養を担う教員の態度や風格が問われていることを物語っている。大学において何らかの教養が成立するのであれば、それは学問的な教養に他ならないと、ヤスパースは言った。学問性の態度は専門知識や専門技能に限定されず、偏見に囚われないで事実を自由に認識し、自分の凝り固まった在り方を批判的に変革し、「超越すること」へと跳躍するように促す。教養があるということは、この世には解決不可能なものがあり、世界は非完結性であると知っていること、それ自体で全てを言い尽したことにはならないと分かっていること、このような認識によって真の無制約性を志向しようとすることなのである。『大学の理念』（一九五二年）において、ヤスパースは次のように述べている。

学問性は、事実に即していること、対象へと献身すること、慎重に考慮すること、対立的な可能性を探

(42) ジョージ・スタイナー著、前掲書、一二七頁。

査すること、そして自己批判なのです。それは、その時々の必要に応じてあれこれのものを思惟し、その他のことを忘れてしまうということを許さないのです。学問性には、懐疑と問いかけ、決定的に主張されているものへの警戒、自分たちの主張を妥当とする限界と性質への検討が役立つのです。学問を通しての理性の恒常的な活動なしには、確固とした理想に従った形式としての教養は、硬直化し、限定されてしまうものです。理性においてあらゆる方法を試み、精神の活動を全面的に遂行しようとする態度の形式としての教養は、人間に最も広い空間を開くものなのです。(43)

ヤスパースが言う「理性への教養」は、今後の教養教育が目指すべき指標となろう。

以上、筆者は教養教育について、言い古された話を改めて述べたに過ぎない。おそらく何も新鮮味はない。教育における尚古主義（classicism）を主張したまでである。しかし、ここで言う古さとは根源的ということであって、我々は常にそこに戻って、そこから始めなければならないものなのである。これを見失っては、あらゆる歩みが拙速になり、いずれ彷徨することになる。古いことを繰り返し吟味するゆとり（自由／「ゆとり教育」のゆとりの謂いではない）が許される場所は、大学ぐらいのものであろう。今日の大学を取り巻く状況において、高邁な理念や高い理想を説くことは空しいのかもしれないが、それらを欠いた教育こそ空しさの極みと言えるのではないか。知性的な教養という〈人文知〉すなわち〈総合知〉によって価値観を形作り、内省を深めることは、人間教育の根本的な課題なのではないかと思う。社会的な責任という自覚は、道徳的な感受性を抜きにしては成り立たず、それを触発するための知性の涵養が急務とされているのであり、ニューマンの言

(43)　カール・ヤスパース著、前掲書、五七頁。

葉を借りれば「幻影と表象から真理へ」（Ex Umbris et Imaginibus in Veritatem）導き入れるためにこそ、教養教育が必要とされるのである。そして、それは古典に習熟せんとする地道な努力によって可能となり、即席の分かりやすさ[44]とは無縁である。はっきり言っておこう。古典を学ぶことは、模範を知ることであり、それが教育の正統である。今日、業務効率を高めるための管理手法であるＰＤＣＡサイクルが教育現場に導入され、実効的な教育改善が求められているが、人間の教育を生産性向上の問題にしてはならないと肝に銘じておくべきだろう。品質管理という発想は教育の本流ではないからである。

【参考文献】

ジョン・ロック著、服部知史訳（一九六七年）『教育に関する考察』岩波文庫。

Ｊ・Ｈ・ニューマン著、ピーター・ミルワード編、田中秀人訳（一九八三年）『大学で何を学ぶか』大修館書店。

上智大学中世思想研究所編（一九八四年）『ギリシア・ローマの教育思想』（教育思想史Ⅰ）東洋館出版社。

上智大学中世思想研究所編（一九八五年）『中世の教育思想』（教育思想史Ⅳ）東洋館出版社。

ヴェルナー・ウィルヘルム・イェーガー著、野町啓訳（一九八五年）『初期キリスト教とパイデイア』（筑摩叢書30）筑摩書房。

アラン・ブルーム著、菅野盾樹訳（一九八八年）『アメリカン・マインドの終焉』みすず書房。

（44）昨今、分かりやすい「授業」が推奨されているが、一体、分かりやすさとは何のことだろうか。私見によれば、「知る」と「分かる」では天地の開きがある。「講義」というものではせいぜい知識を「知る」ことにとどまるのであり、本当に「分かる」かどうかは学生の経験を通した持続的な努力によるのである。したがって、教員が学生に対して簡単に分からせることなど到底できないだろう。しかし、教育は不可能の可能性に挑戦することである。その挑戦は一生をかけるにふさわしいものであると、筆者は確信している。現代は価値の多様化（相対化）の時代であり、価値の優劣を教示することは困難である。しかし、講義する者は文字通り「義を講じる」者である以上、義を判断する価値の存在や倫理の源泉について言及せずにはおれないだろう。ところが、大壇上に構えて義を講じるには、自分自身が未熟であり、未だ人格形成の途上にある者に過ぎないと、往々にして反省させられるのである。けれども、教育者を志した限りは、少なからず他者の人格形成に関与して、善き生へと導かねばならない。未熟者であるにもかかわらず課せられた教育という使命の重大さに身悶えする――このような葛藤に身を置きつつ、教育への情熱と謙虚さを併せ持ちたいと思う。その上で、「講義」において自らの価値観を示し、また批判に晒すことが、学生に対して真摯な教育姿勢となるのではないかと信じている。

ヤーロスラフ・ペリカン著、田口孝夫訳（一九九六年）『大学とは何か』（叢書ウニベルシタス539）法政大学出版局。

オルテガ・イ・ガセット著、井上正訳（一九九六年）『大学の使命』玉川大学出版部。

阿部謹也（一九九七年）『「教養」とは何か』講談社現代新書。

阿部謹也（一九九九年）『大学論』日本エディタースクール出版部。

カール・ヤスパース著、福井一光訳（一九九九年）『大学の理念』理想社。

岡村祥子・川中なほ子編（二〇〇〇年）『J・H・ニューマンの現代性を探る』南窓社。

サミュエル・スマイルズ著、竹内均訳（二〇〇二年）『自助論』知的生きかた文庫。

竹内洋（二〇〇三年）『教養主義の没落――変わりゆくエリート学生文化――』中公新書。

日本ニューマン協会編（二〇〇六年）『時の流れを超えて――J・H・ニューマンを学ぶ――』教友社。

刈部直（二〇〇七年）『移りゆく「教養」』（日本の〈現代〉5）NTT出版。

猪木武徳（二〇〇九年）『大学の反省』（日本の〈現代〉11）NTT出版。

竹内洋（二〇一一年）『大学の下流化』NTT出版。

藤本夕衣（二〇一二年）『古典を失った大学――近代性の危機と教養の行方――』NTT出版。

天野郁夫（二〇一三年）『高等教育の時代　下――大衆化大学の原像――』中公叢書。

新村洋史（二〇一三年）『人間力を育む教養教育――危機の時代を生き抜く――』新日本出版社。

林哲介（二〇一三年）『教養教育の思想性』ナカニシヤ出版。

吉田文（二〇一三年）『大学と教養教育――戦後日本における模索――』岩波書店。

藤本夕衣・古川雄嗣・渡邉浩一共編（二〇一七年）『反「大学改革」論』ナカニシヤ出版。

サミュエル・スマイルズ著、金子一雄・藤永二美共訳（二〇一八年）『[完訳版]セルフ・ヘルプ　自主独立の精神』PHP研究所。

佐藤郁哉（二〇一九年）『大学改革の迷走』ちくま新書。

飯尾淳（二〇二一年）『オンライン化する大学――コロナ禍での教育実践と考察――』樹村房。

堀和世（二〇二一年）『オンライン授業で大学が変わる――コロナ禍で生まれた「教育」インフレーション――』大空出版。

吉見俊哉（二〇二一年）『大学は何処へ――未来への設計――』岩波新書。

グレッグ・ルキアノフ、ジョナサン・ハイト共著、西川由紀子訳（二〇二二年）『傷つきやすいアメリカの大学生たち――大学と若者をダメにする「善意」と「誤った信念」の正体――』草思社。

6　結婚の意味

結婚の起源

人類は有史以来、異性と交際し、交合し、家族を作り出し、共同生活を通して共働し、協働し、社会を形成してきた。先史時代から現代にいたるまで、男性と女性が夫婦になることで結婚が成立し、それが子孫の繁栄につながってきた。このことが人類社会の礎となってきたことを誰も否定できないはずであろう。経済学者ジャック・アタリは、次のように主張している。

いつの時代にも、たとえごく一時的にであろうと、男と女は一夫一婦的な関係をもってきた。一般に、まず男女は2人でしか愛し合わない。この関係はかならずしもつかのまの性関係とは限らず、ときとしては永続的な愛情関係となる。共有と敬意からなる、感情だけのものであることもある。独身者がたくさんいたり、外部に戦いに行ったりしなければならない状態を受け入れるのでなければ、自然状態で男女の出生数が等しい以上、結局一夫一婦制は社会的に必要なものである。つまり、男女のバランスを維持するための一夫一婦制ということである。(1)

(1)　ジャック・アタリ、ステファニー・ボンヴィシニ共著、樺山紘一監修、大塚宏子訳（二〇〇九年）『図説「愛」の歴史』原書房、一一九頁。

しかし昨今、その自明性は盤石とは言えず、配慮すべき事柄の繊細さ——例えばＬＧＢＴＱ、同性婚（same-sex marriage）、アロマンティック・アセクシュアルなど——を前にして揺らぎつつある。結婚とは「人類の究極の契約」または「男女間の永続的な配偶関係」（マイケル・ギグリエリ）であり、男女の絆こそが「人類という種の根本条件」（デズモンド・モリス）であるという伝統的な主張に対しても、慎重な評価あるいは判断の留保が求められる時代状況となってきている。結婚観のスタンダード、つまりこれまで尊重されてきたオーソドックスな価値観（例えば、仕事を持って結婚できれば一人前の社会人と見なされるような考え方）が崩れ去りつつあることは、人類の未来に一体、何を投げかけることになるのであろうか。[2] 巷間では、同性婚、同棲婚、コスパ婚、通い婚、ジモト婚、里山婚、産むだけ婚、グローバル婚、逆転婚などの言葉が躍り、結婚の多様性が喧伝されているようだが、筆者は個別的な事例を一般化し過ぎることには違和感を覚える。その反面で、結婚の規範性はこうあるべきだと一律的に扱うことが難しくなってしまった実情を捉える必要性も感じている。いずれにせよ、内閣府男女共同参画局の令和４年版男女共同参画白書「特集編　人生一〇〇年時代における結婚と家族～家族の姿の変化と課題にどう向き合うか～」[3] が示しているように、現代の日本社会では未婚化や

（2）むしろ、今日の日本人には、伝統的な結婚観を忌避する傾向があると指摘すべきかもしれない。一例として、茨田北中学校（大阪市）の寺井壽男校長の講話（二〇一六年二月二九日）を取り上げてみよう。寺井氏は生徒を前にした講話で「子供は二人以上産むことが、女性にとって最も大切」、「子育てには、それほどに価値がある」、「人として育ててもらった以上、何らかの形で子育てすることが、親に対する恩返し」、「少子化を防ぐことは、日本の未来を左右します」と述べたのだが、マスコミによって報道されるや否や猛烈なバッシングを受けることになった。この内容はポリティカル・コレクトネスの観点から多少なりとも問題視され得るかもしれないが、医学的・生物学的な科学的知見に符合しており、人類社会の持続的な生存という意味でも妥当な話であると思われる。しかし、特定のイデオロギーによる批判や情緒的な拒否反応によって、その真意が十分に吟味されないまま葬られてしまった。このようなセンシティブな状況下で、伝統的な結婚観の有効性について語ることは相当に困難であると言える。付け加えれば、良妻賢母という概念も忌避される風潮があるが、筆者は賛同できない。それは依然として重要な選択肢の一つであり、貶められる理由はない。

「超少子化」（二〇二一年の合計特殊出生率は一・三〇、出生数は八一万一六〇四人[4]）に拍車をかけるような状況となっており（二〇歳代男性の四割はデートの経験がない、七割は配偶者や恋人がいない、三〇歳代独身男女の四人に一人が結婚の意思がない等）、いわゆる「標準世帯」を形成することが普通ではなくなってきているのだから（このままでは日本の人口減少は加速し続け、国家としての持続可能性が危ぶまれるだろう）、結婚の意味について再考することは喫緊の課題であると思われる。

ところで、結婚の起源について研究が盛んになったのは一九世紀頃であると考えられている。[5] それらは今日の考古学的な実証性には耐えられそうにない仮説であるが、よく知られているものを取り上げておこう。スイスの法律学者ヨハン・バッハオーフェンは『母権論』（一八六一年）において、古代社会では性規範が緩く、婚姻制度といった規律もなく、言わば「雑婚」状態であり、そのような中では子供の父親が誰であるのか判別できないので、おのずから女性が決定権を握るという「母権制」が優位であったとされる。同旨はドイツの社会思想家フリードリッヒ・エンゲルスも『家族・私有財産・国家の起源』（一八八四年）で述べており、古代社会では「雑婚」にして「母権制」が主流であったが（原始共産制）、私有財産制の普及にともなって一夫一妻制が確立され、やがて父権制に移行していったとされる。もっとも、エンゲルスの強調点は、これから段階的に共産主義革命が起こり、一夫一妻制が解消されて、階級制度のない平等な世界が実現されるという予見にあった

（3）　https://www.gender.go.jp/about_danjo/whitepaper/r04/zentai/pdf/r04_tokusyu.pdf を参照（最終閲覧日二〇二三年一月一日）。
（4）　https://www.mhlw.go.jp/toukei/saikin/hw/jinkou/tokusyu/syussyo07/dl/gaikyou.pdf を参照（最終閲覧日二〇二三年一月一日）。
（5）　それまでは、一夫一妻制と父権的な結婚生活が原始社会の基礎として考えられていた。当時の代表的な論者としては、比較法学のサー・ヘンリー・メーンや歴史学のフュステル・ドゥ・クーランジュなどが挙げられる。江守五夫（一九六五年）『結婚の起源と歴史』社会思想社、一一—一三頁。

（その歴史的な実験は人類にとって悲劇以外の何ものでもなかったのであるが）。このような「雑婚」と「母権制」の主張に対抗したのが、フィンランドの人類学者エドワード・ウェスターマークである。彼の『人類婚姻史』（一八九一年）では、オスとメスは同棲するという動物の習性、種の保存という生物学的本能、男性の女性に対する独占欲（男性の嫉妬心）といった点から、もともと人類において一夫一妻制が根付いていたに違いないと推定されている。

結婚の起源をめぐって、今日では多種多様な学際的アプローチ(6)があり得て、その真相を一義的に明らかにすることは困難であると言えるが、人類の生殖に関わる本能的な欲求と種の保存への根源的な意欲、並びにそれらを装飾する文化的な関心が、異性間で結婚（さらに婚礼というセレモニー）の形態を取らせたことは首肯できよう。想像するに、生活様式が狩猟採集から農耕牧畜へと移行し、社会において生産性が向上し、余剰財が蓄積されるにつれて、結婚は当事者間で財産的価値の交換ならびに共有という性質（経済性）を帯び(7)、その主導権は個人から集団ないし「家」へとシフトし、制度化されていったものと思われる。近代以降になると、決ま

（6）　結婚の起源をめぐって、例えば人類学の立場からヘレン・E・フィッシャー著、伊沢紘生・熊田清子共訳（一九八三年）『結婚の起源――女と男の関係の人類学――』どうぶつ社、進化生物学の立場からマット・リドレー著、長谷川眞理子訳（二〇一四年）『赤の女王　性とヒトの進化』早川書房が詳しい議論を行っているので、参照されたい。

（7）　この点について、以下の指摘を引照しておこう。「世界じゅうで婚礼は家族どうしのある種の協定であり、男女の愛の告知というより、共通利益の告知である場合のほうがはるかに多い。家族はほとんどの社会における基礎であり、結婚はこうした家族の安定持続を保証するための契約である。したがって婚礼は、象徴的にも社会的にも経済的にも、この安定持続を公に示す行為となる。物質的に貧しい地域でさえ、婚礼は比較的贅沢に執り行われる。というのも婚礼は、少なくとも一つには富の示威でなければならないからである。富、それは新しい家族の存続と繁栄を確約するものであり、前の世代との物質的きずなを思い起こさせるものであり、結婚を強固にするために交換された贈り物や金銭すべての一覧である」（クリフォード・ビショップ著、田中雅志訳（二〇〇〇年）『性と聖――性の精神文化史――』河出書房新社、二九一頁）。

りきった仕組みなのだから誰もが適齢期に結婚すべきなのだという考え方だけではなく、自由恋愛のプロセスとして相互の自由意志に基づく個人的な契約関係という捉え方が現われて、制度的な理解（社会性）と契約的な理解（個人性）が並行ないし混在するかたちで結婚のイメージが定着していくものと考えられる。

　このように、結婚観は最初から定型化されているのではなく、歴史的な変化に晒されており、またそれぞれの社会的な構造（共同体）の中で形作られていくものであると分かる。それは基本的には不定形なものと言えるが、変わることのない本質的な問題も提起しているはずである。つまり、異性間であろうが同性間であろうが、一夫一妻であろうが一夫多妻（多夫一妻）であろうが、異なる他者との出会いから始まる半ば永続的とも言える関係性（継続性）について、それが自分の人生において何を意味するのか、自分の生き方に対してどのような意義があるのか、要するに誰もが直面する普遍的な問い、すなわち思想的な課題として扱わざるを得ないのではないか。私見によれば、結婚観をめぐる研究には、社会的な構造と歴史的な変遷という観点、および意味や価値に関わる思想的な省察が求められると思われる。

　本章では、日本人の結婚観が現代の社会的構造の中でどのように変化しているのか、また日本人の結婚観はどのように移り変わってきたのかを、研究史を参照しつつ簡単にスケッチしてみたい。その上で、時代状況が変わっても見失われてはならない結婚という事柄の本質、いわゆるクラシカルな結婚観について、昭和の保守論壇の議論を手がかりに論じたい。

混乱する現代の結婚観

世俗化が極まった現代社会において、伝統的な冠婚葬祭の意味は希薄化、形骸化されている。それは単に、儀式という形式が失われていくことのみならず、それが表現していたセレモニーの意味内実が、さらに言えば継承されてきた世界観（宗教性）が消滅していくことに他ならない。とりわけ、現代人の結婚観の変貌は個人的な意識変化の問題に留まらず、社会的、法律的、国家的な問題にも密接に関わっている。少し以前までは、厚生労働省の人口動態統計が示した「熟年離婚」の増加が問題にされていたが[8]、今日では離婚にいたるまでの結婚そのものへと届かないことが問題となっている。現状では、単身世帯が夫婦と子供からなる標準世帯を上回っており、厚生労働省の国立社会保障・人口問題研究所によれば、全世帯に占める単身世帯率は二〇三五年には四〇パーセント近くまで拡大すると予想される[9]。また、男性の五人に一人は生涯未婚のままで人生を終えると言われるが、平成二七年版厚生労働白書によれば、二〇三五年の生涯未婚率は男性二九・〇パーセント、女性一九・二パーセントと予測されており[10]、より深刻な事態がもたらされそうな気配である。さらにコロナ禍の長期化は結婚件数や出生数の減少に直結することだろう。

未婚率の上昇による単身化、晩婚化の加速による少子化、非婚化の進行による孤立化は、いわゆる「家族難民」を生み出し、「超高齢社会」の到来に対する歴代政府の無策と相まって、日本の行く末を大きく左右する[11]。むしろ、政策的に「性別分業体制」から「共働き社会」へと移行させた結果、結婚という選択を避ける人、望

（8）http://www.mhlw.go.jp/toukei/list/81-1a.html を参照（最終閲覧日二〇二三年一月一日）。余談ながら、熟年離婚については、慰謝料、養育費、財産分与によって経済破綻してしまうリスクが高いと指摘されるのが一般的である。
（9）http://www.ipss.go.jp/syoushika/tohkei/newest04/sh2401top.html を参照（最終閲覧日二〇二三年一月一日）。
（10）http://www.mhlw.go.jp/toukei_hakusho/hakusho/ を参照（最終閲覧日二〇二三年一月一日）。
（11）補足しておくと、「未婚当然時代」（にらさわあきこ）や「超ソロ社会」（荒川和久）という言葉が登場してきたほどに、事態は切迫していると言えよう。また結婚願望はあるが経済的理由（低収入）のために結婚できないという就職氷河期世代、ロスジェネ世代の問題も指摘しておくべきだろう。

んでも結婚することができない人が急増し、生活実態として子供を産み育てることから遠ざかってしまい、筒井淳也の指摘にあるように「家族からの撤退」という現実が浮き彫りになっている。それと同時に「おひとりさま」というライフスタイルが登場してきたことも指摘しておきたい。実際には、未婚の男女ともに結婚願望は八〇パーセントを超えているにもかかわらず、異性の交際相手がいない人の割合は男性が七〇パーセント、女性が六〇パーセントと過去最高の水準になっている。[12] このちぐはぐな状況について、責めを負うのは個人なのか、社会なのか、それとも政府なのか。

さて、二〇〇七年に山田昌弘によって提唱された「婚活」（結婚を目標として積極的に活動すること）という言葉が人口に膾炙して久しいが、それは「就活」とも並行して論じられることが多い。男女雇用機会均等法の施行、就職協定の解除、就職氷河期の到来、非正規雇用の増大など、社会の在り方が激変するにつれて、一昔前のように自動的に就職し、結婚できるという状況ではなくなってしまった。殊にバブル崩壊後、経済の規制緩和によって自由市場が拡大されたが、選択肢が増えれば増えるほど選べなくなり、適正な調整機能が働かないまま、結果として格差社会がもたらされた。「就活」にせよ「婚活」にせよ、自由化と多様性に翻弄されるかたちで、従来のようにスムーズには決まらなくなってしまった。石井研士によれば、多様性には二種類の意味があって、一方では、個人が自らのライフスタイルを選択して構築するという積極的意味と、他方では、行動様式や生活様式の規範の崩壊と不一致という消極的意味に解釈されているが、[13] 現代では多様な選択肢を前にし

（12）　国立社会保障・人口問題研究所が二〇一五年六月に18歳から34歳の未婚の男女およそ五〇〇〇人を対象に調査した結果である。http://www.ipss.go.jp/ps-doukou/j/doukou15/doukou15_gaiyo.asp を参照（最終閲覧日二〇二三年一月一日）。
（13）　石井研士（二〇〇五年）『日本人の一年と一生――変わりゆく日本人の心性――』春秋社、一二九頁。

て選ぶこともできず、場合によっては何も宛がわれないままに捨て置かれてしまい、何らかの様式を守るという余裕などほとんど認められない実情がある。江戸時代までは家業を継ぐことが一般的であり、職業を選択する自由はなかったが、逆に言えば、誰にでも何らかの働き口が用意されていたのである。また、不本意かもしれないが、親戚縁者や地域共同体の慣行によって縁組も決められ、結婚から取り残されることも少なかったのである。今や、そのような調整機能は社会において働いておらず、自己責任を原則とする自由化と、消極的な意味での多様性が眼前に迫り、若者の間に徒労感が広がり、閉塞感さえ漂わせている。

山田は、晩婚化や非婚化が急速に増えた理由として、①経済環境の変化、②自己実現意識の向上、③交際機会の増大を挙げている[14]。つまり、男女の賃金格差が縮小し、女性の望む経済力と男性の実際のそれとが乖離したことにより、女性が男性に養ってもらうために結婚するという発想そのものがなくなってしまった。また、社会進出していく女性の意識が変化して、画一的であった男女の役割も多様化し、結婚が必ずしも優先順位の高い選択肢になり得なくなった。自己実現の可能性を高く設定すればするほど、自分に合うパートナーへの期待値も上昇し、結果的に理想的な相手を見つけられなくなる（分かりやすく言えば、上を求めればきりがない）。そして、交際の機会が増えれば増えるほど、皮肉なことに恋愛格差が生じて、競争から弾き出された結婚できない男女を生み出すことになった。

牛窪恵によれば、昭和には、性的衝動が若者を恋愛や結婚に向かわせるという思潮、すなわちヨーロッパに由来し明治時代に輸入された「ロマンチック・ラブ・イデオロギー」――「恋愛・性・結婚」の三位一体化――

（14）　山田昌弘・白河桃子（二〇〇八年）『「婚活」時代』ディスカヴァー携書、九八－一一〇頁。

が支配的であったが、今日ではもう終焉を迎えているとされる。[15] と言うのも、現代の若者にとって恋愛は人生に欠かせない「必需品」ではないからである。つまり、「性のセルフ化」や「性のコンビニ化」の加速によって、恋愛はあってもなくてもどちらでもよい「嗜好品」になっているのである。牛窪によれば、この超情報化社会ではSNSにより常時、プライベートであるはずの恋愛が衆人環視のもとに置かれ、また恋愛そのものがリスク化しているのだとされる（具体的には、セクシャルハラスメント、パワーハラスメント、ストーカー、DV、リベンジポルノ、デートDVなど）。このように現代の日本社会における結婚観は急激な変化に晒されており、従来のような紋切り型の見解は通用しなくなりつつあると言えよう。

日本人の結婚観の変遷

冒頭でも指摘したように、結婚観は最初から明瞭に定型化されているものではなく、日本人の歴史においても、その都度、移り変わりが見られる。その歴史的な変遷を少しばかり俯瞰しておこう。

『古事記』（七一二年）には、伊邪那岐と伊邪那美による国産みの神話が描かれており、男女間の馴れ初めは男性から声をかけるのが決まりであることが分かる（女性からでは支障が生じるとされている）。儒教の影響下にあって律令制が施行された八世紀以降の日本社会（特に上流社会）では、一夫一婦制が正式な婚姻関係であると見なされていた（当然ながら妾制度も容認されていた）。平安時代では、男性が女性の家に婿入りする「婿取り婚」が主流であった。女性は婚前に複数の男性の「夜這い」を受け入れることがあり、貞操観念は曖昧

（15）　牛窪恵（二〇一五年）『恋愛しない若者たち――コンビニ化する性とコスパ化する結婚――』ディスカヴァー携書、四三-四四頁。

だったようである。なお、「夜這い」については、樋口清之による次のような説明がある。

夜這いというのは、娘の所へ男がかってに通っていく習慣であるが、夜這いの語源を考えてみると、夜這うのではなくて、名前を呼び合うこと、つまりヨビアイの変化したものがヨバイである。結局、愛情を持って、男が女の名前を呼ぶと、女もまた男の名前を呼び返して、初めて相思相愛の男女であることを確認し合って、女の部屋に入れてもらうというのが、夜這いである。……したがって男は、遊びとしての夜這いはできない。そこへ夜這う限りは、絶対に責任を取らなければならず、もし取らない者があったら、たいてい村を追い出される。そういう懲罰があるくらいだから、夜這い行為をもって、淫奔な性の解放と思っては間違いである[16]。

このように「夜這い」において、厳粛な性の尊重を見出す立場もあることを付け加えておきたい。

さて、鎌倉時代に台頭した武家社会においては、男性が家督を相続しなければならないので、婚姻は「家」を中心に取り仕切られることになり、「嫁取り婚」が一般化する。不倫に対する処罰も、この頃の「御成敗式目」（一二三二年）に明記されるようになる（ただし、地方の農漁村では「夜這い」の習慣は残り続けていくらしい）。家父長制の維持を最優先させるために、政略結婚が横行したとも伝えられている。江戸時代に入ると、都市部へ出稼ぎに来ていた男性が結婚できず、未婚率は何と五〇パーセント近くに達していたそうである。そもそも、享保六年（一七二一年）には男女比が一〇〇：五五と言われており[17]、結婚にあぶれた男性が多くいても

(16)　樋口清之（二〇一五年）『子育て日本史――日本人の品性・美意識の源流をたどる――』ＰＨＰ文庫、一三二頁。

やむを得なかったものと思われる。

明治になると、欧米社会から「ロマンチック・ラブ・イデオロギー」が輸入され、「恋愛は人世の秘鑰なり、恋愛ありて後人世あり、恋愛を抽き去りたらむには人生何の色味かあらむ」（北村透谷「厭世詩家と女性」）といった恋愛至上主義が全盛となり、自由恋愛が解禁された。それまでに比べて女性の社会的解放の流れが顕著になり、個人の自由な選択の末に結ばれる恋愛結婚ができるようになる。宗教者を伴う挙式の形態が整ってきたのは、実にこの頃であり、皇室婚嫁令に則って行われた皇太子の御婚儀（明治三三年）の影響を受けて、神前式の挙式が始められるようになる。記録としては、明治三四年の日比谷大神宮で行われたものが最初期であると言われている。さらに、大正一二年の関東大震災で都内の神社が焼け落ちて以降、多賀神社を内部に祀った帝国ホテルに挙式者が参集し、これをきっかけにして、美容室と写真館を備えて結婚式と披露宴を同時に一箇所で開催する、いわゆる「ホテル結婚式」が定着するようになったらしい。

昭和に入ると、恋愛結婚と、親の意思に基づいて相手を選ぶ「見合い結婚」とが両立するようになる。しかし、一九六〇年代後半の高度経済成長期から、新卒の学生が都市部へ移動することになり、状況が変わってくる。地方では、結婚適齢期になる男性が少なくなり、近所付き合いも希薄化していく中で、見合い結婚の割合が減少していく。やがて恋愛結婚も過当競争の渦中に投げ込まれ、ついには性や恋愛の延長線上に結婚を位置付けるという意識も廃れることになり、平成の混迷期から令和の現況に至ると概括することができよう。

以上、結婚観をめぐる歴史的な推移を一瞥してきたが、人間の価値観（意識）や社会の風習（生活文化）は

(17) 牛窪恵、前掲書、一九七頁。

時代とともに変化するのであり、日本人もまたその例外ではないことが分かる。しかし、結婚というかたちでのみ表現され得る人間関係には、時代の変化に晒されても変わることのない何かがあるはずではないか。

そこで次に、時代状況が変わったとしても見失われてはならない結婚の本質について考察したい（そのようなものがあると信じて）。そのために、明治生まれにして大正を駆け抜け、激動の昭和に活躍した保守論壇を代表する二人、すなわち福田恆存と亀井勝一郎の議論を参照することにする。

福田恆存の結婚観

シェークスピア戯曲の翻訳でも著名であった福田恆存は保守派の論客としても知られているが、まとまった結婚観を一九五六年の『幸福への手帖』（一九七九年に『私の幸福論』と改題、以下の引用は本書から）で記している。それによると、結婚は不和を前提とした「合一」であり、それぞれが二つの異なるものである以上は避けることのできない対立を乗り越えてこそ「和の喜び」が見出されると言う。つまり、結婚生活において対立が生じることは当然なのであり、別離の危機や裏切りの可能性は日常的に潜在しており、それを織り込んだ上での覚悟と努力が求められるというわけである。そこにこそ、人格的な成長と成熟が見込まれると言えよう。福田の言葉を引用してみたい。

> 私たちの間の、どんな仲のいい夫婦でも、あすは別れるかもしれないという危機を蔵しているのです。ただそれは無意識のうちに隠れているだけです。……無意識なものをわざわざ呼びさます必要はありませんが、もしいささかでもそれが意識の表面に浮かびあがってきたなら、私たちはごまかしてはなりません。

はっきり事態に直面すべきです。二人の男女が一緒に暮らすということが、どんなにむずかしいことか、二つの精神が、二つの肉体が、真の和に達することが、どんなにむずかしいことか、それを自覚すべきです。そしてさらに、このむずかしい仕事をやってのけようとする契約が、とりもなおさず結婚ということなのだと、そう覚悟していただきたい[18]。

そして、裏切られたばあい、相手が悪いのかもしれないし、また自分が悪いのかもしれない。いずれにせよ、裏切られてもいいという覚悟が必要でしょう。というのは、諦めでも自棄でもない。まず第一に、裏切られてもいいから、この人がほしいということでしょうし、第二に、今後、おたがいに裏切ったり裏切られたりしないように努力しようということでしょう。結婚に薔薇色の夢をいだく人たちの陥りやすい過ちは、その努力の抛棄です[19]。

福田は結婚における裏切りの可能性にしばしば言及しており、むしろそれも織り込み済みで、言わば裏切られることを承知した上でもなお、相手を切実に求め、結婚生活を続けられるかどうかを問うている。相手が自分を裏切るかどうか、はたまた自分が相手を裏切るかどうか、その緊張的な可能性に対して自分自身の生を賭けて挑むところに、結婚生活の醍醐味があるのかもしれない。次の引用は警句的な内容であるが、どこかユーモラスな響きも残している。

(18)　福田恆存（一九九八年）『私の幸福論』ちくま文庫、一八〇－一八一頁。
(19)　前掲書、一八一頁。

第一、裏切られっこない結婚などを考えるのけ、大変あつかましい。たとえそれが精神的な期待であるにしても、結局は財産めあての結婚と同じことです。人生が賭である以上、結婚も賭であり、その責任は全部、自分が背負うべきであります。その覚悟さえあれば、すくなくとも無い人よりは、結婚を実り多きものにすることができましょう。控えめにいっても、被害を最小にとどめられるでありましょう[20]。

また、福田は結婚における相互の理解について述べているが、その取り上げ方は単純ではない。彼は相手を理解することが大切であるというような、言い古された話を繰り返してはいない。結婚は相手を理解することができない（しようと思っても無理である）という不可能性から出発すべきであり（そもそも自己理解も十分にできないのだから）、相手を理解できたと安易に思い込んでしまうことの危険性を指摘している。なぜなら、そのような浅はかな理解は、相手を自分の許容範囲内に取り込んだに過ぎないからである。相手を理解したというある種の傲慢さによって、その人をより強く束縛し、自分が勝手に仕立てた枠組みを一方的に押しつけてしまうことになる。自分がこう思うのだから、相手もそうしてくれるはずだと。ところが、期待された応答がなされず、相手が自分の理解（許容範囲）の外部に出るや否や、極度の孤立感に襲われて、反射的に相手を拒絶してしまうのである。自己理解や他者理解とともに、相互理解もまた、欺瞞であるとまでは言わないが、錯覚であることが多い。要するに、単に分かったつもりになっているだけである（結婚においては、理解できているという安心感が禁物なのだろう）。次に引用する福田の指摘は鋭い。

（20）前掲書、一八八頁。

恋愛中の男女は、まじめであればあるほど、おたがいに相手を理解しようと努力するばかりでなく、自分を相手に理解させようと骨をおります。「ぼくはこういう男です」、「あたしはこういう女です」というふうに、いろいろ過去を説明して、自己表現をやる。ときには意志してうそをついているばあいもありましょうが、もっと危険なのは、偽善や偽悪の意識なしに、無意識のうちにうそをいうことです。なぜそういうことが起るかといえば、私たちには他人を理解することがむずかしい以上に、自分を理解することがむずかしいからです。自分より他人のほうが自分をよく知っているかもしれないし、その他人の眼にしても絶対ではありません。その上、なにより危険なことは、おたがいに理解しあったと思いこんだ瞬間、それからは相手を自分の理解力のなかに閉じこめてしまい、相手がその外に出ることを裏切りとして許さないということです。[21]

本当のことをいえば、結婚して十年たとうが、二十年たとうが、一人の人間が他の人間を、しかも性を異にする人間を理解することなど、できようはずはないのです。まして、結婚前に相手を理解してしまうなどということはありえない。理解しあったうえで結婚しろということになれば、私たちはよほど自分をだましでもしなければ、永遠に結婚できないでしょう。[22]

結婚は相互理解を前提していない、という福田の着眼点は興味深い。我々は何かにつけて、異なる相手を理解しよう、理解できるはずだ、理解しなければならないと言うわけだが、それは虚構なる美徳であるに過ぎな

(21) 前掲書、一八四頁。
(22) 前掲書、一八三―一八四頁。

いのかもしれない。通約不可能性ないし共約不可能性という事実に照らして、そもそも異なる者同士は理解できない（それぞれ違いがあってよいのだ）という原点に立ち戻る謙虚さが必要なのではないか。表面的な理解の押しつけは、その認識上のメッキが剝がれた時、かえって深刻な分裂を招くことになる。これは結婚生活のみならず、様々なコミュニケーション全般にも当てはまり得ることかもしれない。福田によれば、結婚は相互理解に基づくものではなく、理解できないことを発見する望みと喜びとにあるという。理解できないが理解しようとする不可能の可能性に挑戦することが、結婚という試みなのである。

というわけで、「理解」はけっして結婚の基礎ではない。むしろ結婚とは、二人の男女が、今後何十年、おたがいにおたがいの理解しなかったものを発見しあっていきましょうということではありますまいか。すでに理解しあっているから結婚するのではなく、これから理解しあおうとして結婚するのです。である以上、たとえ、人間は死ぬまで理解しあえぬものだとしても、おたがいに理解しあおうと努力するに足る相手だという直観が基礎になければなりません。同時に、結婚後も、めったに幻滅に打ちまかされぬねばり強さも必要です。[23]

私見によれば、理解し合おうとする努力に足る相手であるという直観が得られるとすれば、それは人生をめぐる価値観と生活設計における方向性の共有（相互承認）によるのではないだろうか。そして、その共有の仕方こそが、他と比べることのできない特別のパートナーシップと言えるのではないか。この意味において、結

（23）前掲書、一八三―一八四頁。

婚生活を円滑に進めるためのいかなるマニュアルもガイドラインも存在せず、経験豊富なアドバイスも有効とはならないのである。

世に結婚した夫婦の数は多いが、それをもう一度くりかえすのではなく、それぞれが、一つしかない組合せで、世界に一つしかない結婚を開始するのであります。したがって、他人の経験など、なんの役にもたちません。同時に、それは未知の世界への旅立ちであるがゆえに、往復切符のない旅行です。[24]

福田は一九五九年の『私の戀愛教室』において、結婚の定義を明確に示しているが、ポイントとなるのは倫理との結び付きである。倫理とは簡単に言えば、対等な者同士のルールを意味するが、それはお互いを人格として承認し、適切な関係性を構築していくのに役立ち、共同体の紐帯としての役割を担う。まさに、それが育まれる最初の現場こそ結婚なのではないか。結婚生活では、異なる者同士の間に正当な関係性をもたらすための歩み寄りが求められるのであり、その姿勢は倫理的と形容されるにふさわしい。真摯に向き合い、丁寧に取り組む態度が、その人の人生模様を彩る。

人生を統一する場、それが結婚です。あらゆる人間関係がそれを中心として展開されます。われわれの共同生活にもし倫理というものが必要ならば、それは結婚の場にもっとも凝縮され純化された形で、提出され鍛錬されるでしょう。そしてそれがまた逆に、広汎な共同生活のうちに導入されていくでしょう。い

(24) 前掲書、一八六−一八七頁。

かなる人間関係の規律も結婚によってためされたものでなければ、いつかはその虚偽を露呈してしまうでしょう。[25]

結婚は倫理の最小単位であると同時に最高の単位でもあります。ここで妥協したら、たちまち連鎖反応を起して、われわれの社会的共同生活も、いいかげんなものになってしまいます。[26]

昨今、顕著となっている共同体における倫理という規範の崩壊と、個における結婚という形態の破綻には、両者に通底する問題要因（社会有機体の瓦解）があると考えられるが、「倫理の単位」としての結婚観という福田の発想は有力なヒントとなるものであり、今後の展開につなげていきたいと思う。

亀井勝一郎の結婚観

『日本人の精神史的研究』で名高い評論家の亀井勝一郎の著作には、人間の恋愛感情の機微に触れた随想が数多く残されているが（例えば『恋愛論』と『青春論』）、その中でも秀逸なのは『愛の無常について』（一九四九年）だと思う。ここに僅かではあるが亀井の結婚観が示されているので、要点を抜粋するかたちで紹介してみたい。先ず、次のような一般論の検討から始まる。

（25）　福田恆存（二〇〇九年）『私の恋愛教室』ちくま文庫、一三〇頁。
（26）　前掲書、一三一頁。

結婚は恋愛の墓場という通説があります。いかに恋しあった男女でも、長い結婚生活の間には身心に変化を生ずるのは当然で、恋愛という点からのみ見れば、結婚は一種の墓場かもしれません[27]。

亀井は補足的に『徒然草』から「妻といふものこそ男のもつまじき物なれ……いかなる女なりとも、明け暮れ添ひ見むには、いと心づきなく憎かりなむ。女のためにも半空にこそならめ」を引照している。「半空」とは、中途半端で進退窮まることを意味する。この大意は、〈妻ほど、男が持ってはならないものはない。どんな女といえども、明けても暮れても顔を見ていたら、気に食わなくなって嫌になってしまうだろう。女にとっても、不安で居ても立っても居られないであろうに〉と解することができよう。現代では「夫といふものこそ女のもつまじき物なれ」とアレンジすることもできるし、その表現の方がより広く受け入れられやすいことだろう。

どのようなものでも、時間の経過には耐えられない。見慣れると見飽きる。新奇性を欠いたら陳腐に映ってしまう。恋愛という新鮮なものが、結婚という生活実態の中で腐敗していく様は、たしかに生気を失った「墓場」と譬えられるかもしれない。亀井はさらに結婚生活の描写を「墓場」から「地獄」へと突き落とし、必ずしも甘美ではない現実の認識を徹底し（一過的な恋愛と持続的な結婚を連続的に捉えることはカテゴリーエラーであると示唆しつつ[28]）、ついに「諦念」と「忍耐」の境地へ至る。『徒然草』の描く風景を前提して、亀井

(27) 亀井勝一郎（一九九八年）『愛の無常について』ハルキ文庫、九三頁。
(28) この点について、神話学者ジョーゼフ・キャンベルの指摘も参照に値する。「結局結婚というのは相互の関係性と歩み寄りです。夫婦それぞれが、一つの有機体の中で役割を持っていることを理解し、その機能を理解するのです。私をはじめ、長く結婚している人たちが気づくことは、結婚は恋愛ではないということです。恋愛は手近な個人的な満足にすぎません。しかし結婚は試練です。繰り返し歩み寄ることです。だからこそ神聖なのです。二人の関係に参入するために、一人の単純明快さを手放すのです。自分を相手に与えるのではなく、二人の関係に与えるのです。そして自分↙

は次のように述べている。

事実であるならば、結婚生活とは虚偽の生活であります。互に欺き、心底で憎悪しながら生きて行く地獄の連続、あるいは見えざる犠牲の生活と言ってよい。むろん恋愛と結婚は、各々範疇を異にしたもので、単なる延長でなく、結婚は共同の実生活であり、そこには一種の友情を必要とするものなのですが、もとより簡単にこの境地には達しえられませぬ。夫婦生活とは、悪戦苦闘の涯に、辛うじて到達する一種の諦念の生活かもしれないのです。あるいは忍耐することです。私はそれを人生の義務だと思っています。そして出来るなら、義務は楽しく果たすべきであると。(29)

結婚の要諦は「諦念」と「忍耐」であり、それこそ人生に課せられた義務であるという亀井の結論が、ここに表出されている。一見すると悲壮感が色濃く、うんざりするような倦怠感を醸し出しているようだが、この達観の背後にあるのは、人生に対する高くて深い楽観なのではないだろうか。逆説的な言い方になるが、「諦念」と「忍耐」の愉悦に浸ることができるならば、その実生活は何よりも尊く感慨深いものになり、人間性の妙味が味わい深くなり、人生そのものが豊かに拓かれる。この可能性を楽観的に観測できるからこそ、結婚という共同の実生活が辛うじて成立するのではないか。そうでなければ、悲観と憂鬱が先行し、最初から破局が

↙が相手と同等に関わり合っているのだと気づけば、関係性に自分を与えることは、自分を失う不毛なことではなく、人生を慈しみ豊かにする経験となり、人生を築くことになるのです」（ジョーゼフ・キャンベル著、馬場悠子訳（一九九七年）『ジョーゼフ・キャンベルが言うには、愛ある結婚は冒険である。』築地書館、一七八頁）。

(29)　亀井勝一郎、前掲書、九四頁。

目に見えており、積み上げるべき土台すら見当たらなくなる。興味深いことに、亀井は結婚の地獄と同様に、恋愛の地獄ということも説いており、ある意味で逃げ道を閉ざしている。

反対に結婚せず恋愛のみに終始したならばどうであるか。これもまた地獄であります。無常であることに変りはありませぬ。中世のアベラアルとエロイズの物語のように、修道院の学僧と尼僧が、宗教的雰囲気のなかに、終生「性のない性の交り」をつづけた例はありますが、これはむしろ稀有のことで、恋愛は必ず快楽と悲哀を伴う。ファウスト・グレエトヘン悲劇はくりかえさるるでありましょう。結婚するのも悔恨、しないのも悔恨です。人生何事かを為せば悔恨あり、何事をも為さざれば、これもまた悔恨という言葉があります。人間は適当なとき結婚して、それ相応の復讐を受け、諦念に達すべきものかもしれませぬ。(30)

言うまでもなく、アベラールとエロイーズの物語は実話だが、ファウストとグレートヒェンの物語はゲーテの創作である。実話の方が稀有な恋愛の在り方を例証し、創作の方が実際に起こり得る恋愛の喪失を描写していることは興味深い。恋愛の快楽と悲哀について、精神史的な考察を施すことは今後の研究課題となろう。(31)

以上、昭和の保守論壇を代表する福田と亀井の随想に学んできたが、これによってクラシカルな結婚観の輪郭を描くことができたであろうか。少なくとも、理解、覚悟、忍耐、諦念といった言葉が、時代状況がどのよ

(30)　前掲書、九四頁。
(31)　筆者の念頭には、ダンテとベアトリーチェ、シェリングとカロリーネ、キェルケゴールとレギーネ、ニーチェとルー・ザロメ、ガウディとペペタなどが、格好の事例として浮かんでいる。

うに変わろうとも、結婚という事柄の本質に迫るキーワードになることが明らかになったと言える。

結婚観で問われていること

何事であっても挑戦しなければ、失敗することはない。その反対に、何事かに挑戦したことにより、失敗してしまうことがある。挑戦しなければ失敗しないが、何も残らないし何も変わらない。挑戦して失敗しても、何かが残るし何かが変わる。人が後悔するのは、やってみて失敗してしまったことよりも、何もしないで可能性を閉ざしてしまうことの方である。結婚生活は悲喜交々、「忍耐」から「諦念」へとめぐり往きて、異なる相手との間で、なお常に新しい可能性を宿しつつ、試みにおいて挫折と栄光を繰り返す。それは、この上なく悦びであり、極上の愉快に違いなく、人が生涯を賭すべき舞台であると言え、そこには持続的な緊張感が張っている。この点に関して、福永武彦は次のように述べている。

愛は持続することによってのみ、その真実の力を発揮する筈だが、持続ということは言葉ほどにた易くはない。なぜなら、同じ愛の状態が永続することはあり得ないので、その間には、潮の満ち干きするように、自ら緊張した状態と弛緩した状態とが繰返されるだろう。愛が持続するのは、二つの魂の間の調和が、初めに結びついた時の緊張を失うことなく、絶えず少しずつ強められて行った場合に限られる。(32)

これまで検討してきたように、結婚観は社会的な構造や歴史的な変遷において変化を余儀なくされるもので

(32)　福永武彦（一九七五年）『愛の試み』新潮文庫、一三一頁。

あり、状況に応じて発生する問題の把握と分析に努めなければならない。しかしながら、結婚そのものの意味や価値をめぐる本質論を欠いては、今日の問題に対して十分な対応を取ることは難しくなるのではないか。政府が結婚や出産について行政的な政策を打ち出すことは必要であるとしても、所詮は対症療法に留まるのであり、個人や社会の意識の在り方が再考されないかぎり、状況は一段と厳しさを増すものと思われる。筆者は、外形的な変化に気を取られるあまり、内在的な普遍への志向性が貧弱になっている世情を憂う。

まとめておくと、結婚は人生の「修練の場」であると言えるが、ひたむきな努力[33]を怠ると、人生の「修羅場」、人生の「墓場」、あるいは「生き地獄」と化すので、注意が必要である。けだし、結婚とは、責任や義務に束縛される不自由なものである。近代自由主義的な〈個人の自由〉を至上の原理と見なすならば、結婚しないことが正解であろう。しかし、結婚の束縛は自他をつなぐ最初の紐帯なのであり、人間関係の基礎に置かれるものである。この束縛という紐帯は考慮されなくてよいはずがない。

そもそも、結婚に意味はあるのか、価値はあるのか。誰にも説明できないのではないか。一つだけ言えるとすれば、意味とは自分で見つけるものであり、価値とは自分で作るものであるから、見つけるのも作るのも、結局は自分自身の問題である。例えば、遠藤周作は『結婚論』で次のように述べている。

（33）例えば、バートランド・ラッセルは『結婚論』（一九二九年）において、結婚生活で幸福になる条件を次のように述べている。「両者の側に完全な平等感がなければならない」、「お互いの自由を決して干渉してはならない」、「限りなく完全な肉体的・精神的な親密さがなければならない」、「価値の基準について、ある程度の共通項がなければならない」。かなりの努力が求められそうだが、以上の条件が満たされれば、結婚は「二人の人間の間に存在しうる、最もよい、そして最も重要な関係になる」と主張されている（バートランド・ラッセル著、安藤貞雄訳（一九九六年）『結婚論』岩波文庫、一四二－一四三頁）。

結婚生活とは、幻滅、失望、落胆の瞬間からはじまるとお考えください。なぜか。それは結婚生活は人生そのものだからです。人生は決して楽しいものじゃない。そんなことは誰でも知っている。人生は正直言って悲しいこと、苦しいこと、色あせたこと、魅力のないことの連続です。しかしそれを放擲する者は愚かです。なぜならその味けない人生を捨てずにしゃぶりにしゃぶれば、必ず生きる意味が見つかるからです。生きていてよかったと思うからです[34]。

結婚観で問われているのは、実に主体性の問題なのであり、遠回りのようであるが、この核心に触れないかぎり、時流に振り回されるだけのことである。誰かと何かを見つけて新たなものを作りたいと願う時、そこにはある飛躍や超越が求められるように思われる。今後、結婚における自己同一（私が私自身であること）、自己変容（私が変わること）、自己超越（私が私以上になること）ということについて、さらに考察を重ねていくことが望まれる。その予告的な意味を込めて、倉田百三の「異性の内に自己を見出さんとする心」から引用することによって、本章を閉じたい。

私は殆ど自己の転換を意識した。私は恋人の中に移植されたる私を見出した。私は恋人のために一度自己を失い、ふたたび恋人の中において再生した。私は彼の女において私自身の鏡を得た。私の努力と憧憬と苦悩と功業とは皆彼の女を透して初めて意義あるものとなるのである。私は私のみの生活というものを考えることができなくなった。彼の女を離れて私の生活はない。私らは二個にして直ちに一個なる生命的

(34) 遠藤周作（一九七九年）『結婚論』主婦の友社、一六二頁。

存在である。私らは二人を歌うのだ。二人を努力するのだ。二人を生きるのだ。(35)

【参考文献】


江守五夫（一九六五年）『結婚の起源と歴史』社会思想社。

フリードリヒ・エンゲルス著、戸原四郎訳（一九六五年）『家族・私有財産・国家の起源』岩波文庫。

E・A・ウェスターマーク著、江守五夫訳（一九七〇年）『人類婚姻史』社会思想社。

福永武彦（一九七五年）『愛の試み』新潮文庫。

遠藤周作（一九七九年）『結婚論』主婦の友社。

ヘレン・E・フィッシャー著、伊沢紘生・熊田清子共訳（一九八三年）『結婚の起源――女と男の関係の人類学――』どうぶつ社。

J・J・バッハオーフェン著、岡道男・河上倫逸監訳（一九九一年・一九九三年・一九九五年）『母権論――古代世界の女性支配に関する研究　その宗教的および法的本質――』（1・2・3）みすず書房。

バートランド・ラッセル著、安藤貞雄訳（一九九六年）『結婚論』岩波文庫。

ジョーゼフ・キャンベル著、著馬場悠子訳（一九九七年）『ジョーゼフ・キャンベルが言うには、愛ある結婚は冒険である。』築地書館。

ダイアン・アッカーマン著、岩崎徹・原田大介共訳（一九九八年）『愛の博物誌』河出書房新社。

亀井勝一郎（一九九八年）『愛の無常について』ハルキ文庫。

福田恆存（一九九八年）『私の幸福論』ちくま文庫。

クリフォード・ビショップ著、田中雅志訳（二〇〇〇年）『性と聖――性の精神文化史――』河出書房新社。

石井研士（二〇〇五年）『日本人の一年と一生――変わりゆく日本人の心性――』春秋社。

倉田百三（二〇〇八年）『愛と認識との出発』岩波文庫。

山田昌弘・白河桃子（二〇〇八年）『「婚活」時代』ディスカヴァー携書。

福田恆存（二〇〇九年）『私の恋愛教室』ちくま文庫。

ジャック・アタリ、ステファニー・ボンヴィシニ共著、樺山紘一監修、大塚宏子訳（二〇〇九年）『図説「愛」の歴史』原書房。

山田昌弘編（二〇一〇年）『「婚活」現象の社会学――日本の配偶者選択のいま――』東洋経済新報社。

マット・リドレー著、長谷川眞理子訳（二〇一四年）『赤の女王　性とヒトの進化』早川書房。

山田昌弘（二〇一四年）『「家族」難民――生涯未婚率25％社会の衝撃――』朝日新聞出版。

(35)　倉田百三（二〇〇八年）『愛と認識との出発』岩波文庫、一〇八頁。

荒川和久（二〇一五年）『結婚しない男たち――増え続ける未婚男性「ソロ男」のリアル――』ディスカヴァー携書。

牛窪恵（二〇一五年）『恋愛しない若者たち――コンビニ化する性とコスパ化する結婚――』ディスカヴァー携書。

樋口清之（二〇一五年）『子育て日本史――日本人の品性・美意識の源流をたどる――』ＰＨＰ文庫。

筒井淳也（二〇一六年）『結婚と家族のこれから――共働き社会の限界――』光文社新書。

にらさわあきこ（二〇一六年）『未婚当然時代――シングルたちの〝絆〟のゆくえ――』ポプラ新書。

荒川和久（二〇一七年）『超ソロ社会――「独身大国・日本」の衝撃――』ＰＨＰ新書。

あとがき

世情が喧しい。社会的不公正、人種差別、性差別に対して高い意識を持つことは望ましいが、ポリティカル・コレクトネスやステイ・ウォークのような、表現に対する規制は行き過ぎで、かえって問題の共有と解決を困難にする（例えば、「母親」と呼ぶべきではなく「出産する人」に変えよといった主張）。言語表現への圧力は思想表現を歪曲する。逆に、いわゆるトランプ現象と呼ばれたポピュリズムの台頭や、時代錯誤的なエスノセントリズムの猖獗にも辟易する。筆者は「適当」に考えればよいのではないかと思う。もっとも、その「適当」はバランスが取れていること、目的や条件に適っているという意味であり、いい加減にあしらうという意味では断じてない。本書では、それを歴史から来る平衡感覚と捉えた。平衡感覚が狂った現象を大衆化に求め、その事例を直近のパンデミックの混乱に見立てた。平衡感覚を取り戻すためには歴史と伝統に学ぶ必要があり、そこに根差す知恵は人文知、総合知として教養という形を取ると述べた。人間の文化的営みを通して現れる精神的価値、歴史的時間、言語的表現といった知の在り方が、そこに蓄積されている。ここに立脚するしかないのであり、教養教育は時代遅れという主張こそ知性の修練に対して遅れを取っている証しである。本書では、このような観点から平和の意味や自由の価値も問い直した。国家に対する愛情は家族の中から始まるとバークは述べているが、その始原である結婚の意味についても再確認し、原点の整理を行った。以上の考察によって、極端に走って熱狂に陥らず、喧噪の中にあっても静謐であることを取り戻したいと、筆者は望む。

筆者はこれまで取り組んできた宗教思想研究（神学の規範性、哲学の合理性、宗教学の経験性から照らし出される宗教の本質をめぐって）を一冊にまとめるつもりでいたが、諸般の事情で著述が大幅に停滞してしまった。そのような折り、宍倉由高氏（ナカニシヤ出版編集統括）から叱咤激励に加えて様々な注文を受けたのであるが、そのやり取りの中で全く別の著作の構想が見出され本書となった。はっきり言って、氏のご助言がなければ、本書は完成を見ていない。今回の編集作業についても氏を煩わせることになったが、その用意周到さに助られて、本書は無事に刊行された。宍倉氏の長年のご支援に対して心からお礼を申し上げたい。

自らの研究において筆者は原文主義を心がけてきた。思想研究の基礎は原文を徹底的に精読することだからである。しかし、今回は専門外に大きく踏み出すことになり、多くの翻訳に依存することになった。それらに支えられて議論をまとめることができたので、先達の訳業に深謝したい。また、自分の専門性を弁えず様々な分野に立ち入ったことから思いもよらない間違いをしているかもしれず、読者諸賢のご批判を頂戴できれば幸いである。

本書のイメージは、分かりやすく言えば保守思想のダイジェストであるが、現代の話題に絡めて初歩的な事柄を整理したに過ぎず、他日に期すとした課題も山積しており、今後より本格的な研究へ移行できればと思う。筆者が奉職している大学には岡潔、大石義雄、若泉敬、福田恆存、村松剛といった名立たる思想家が在籍していたので、その足跡を辿ってみたいと考えている。なお、初出は以下の通りであるが、本書に編入するにあたって加筆修正を行っている。転載を許諾された関係各位に感謝したい。

【初出】

コロナの狂騒

「いわゆる「コロナ時代」をどう生きるのか——人間的自由の危機に際して——」『精神文化学研究』（精神文化学会）第四号、二〇二一年、七–二九頁。

教養の復権

「教養教育の可能性を考える」、三宅義和・居神浩・遠藤竜馬・松本恵美・近藤剛・畑秀和共著『大学教育の変貌を考える』ミネルヴァ書房、二〇一四年、九三–一一四頁。

結婚の意味

「結婚観を考える視座」、中矢英俊・近藤剛編著『現代の結婚と婚礼を考える』ミネルヴァ書房、二〇一七年、九–二九頁。

覇権主義が伸長し、世界秩序が危機的な状況を迎える中、私たちにできることは実際ほとんどない。はっきり言って無力である。そうであれば、あまり深刻に考えず、エゴイズムに生きてもよいのかもしれない。しかし、筆者は公園で遊ぶ幼児や児童、学校で学ぶ生徒、大学で教えている学生を見て、最低限の義務を果たしておかなければならないと思うのである。後進に道を譲るというが、その道が消え去ってしまうことを恐れる。本書は、その道を示す一つの道標に過ぎない。今の筆者には、これで精一杯である。健全なデモクラシーにおいて、国家を運営する力は国民にある。国民の見識が国家の運営に反映されるはずだからである。したがって、国民の無知蒙昧は国家の衰退に直結するし、国柄を重視する国際社会でも通用しない。パトリオットの作法とは何か、本書がそれを改めて考える一助になれば幸甚である。

二〇二三年（令和五年）一月

近藤 剛

人名索引

ま行

や・ら行

書名索引

た行

な行

は行

索　引

事項索引

著者略歴

近藤　剛（こんどう　ごう）
1974年　兵庫県生まれ。
2004年　京都大学大学院文学研究科博士後期課程学修認定退学。
2007年　京都大学博士（文学）学位取得。
2016年　第12回日本シェリング協会研究奨励賞受賞。
現在，京都産業大学文化学部国際文化学科教授。
著書に，『増補版　キリスト教思想断想』（ナカニシヤ出版，2014年），『問題意識の倫理』（ナカニシヤ出版，2015年）など。

尚古の思想――反時代的省察

2023年３月20日　　初版第１刷発行　　定価はカヴァーに表示してあります

著　者　近藤　剛
発行者　中西　良
発行所　株式会社ナカニシヤ出版
〒606-8161　京都市左京区一乗寺木ノ本町15番地
Telephone 075-723-0111
Facsimile 075-723-0095
Website http://www.nakanishiya.co.jp/
Email iihon-ippai@nakanishiya.co.jp
郵便振替　01030-0-13128

装幀＝白沢　正／印刷・製本＝創栄図書印刷株式会社
An Essay on Classicism: Unfashionable Reflections

ISBN978-4-7795-1709-9 C0010